Grüße über Grenzen

GRÜSSE ÜBER GRENZEN

Amerikaner und Deutsche

Eine Anthologie von Kurt Schleucher

GREETINGS ACROSS THE OCEAN

Americans and Germans

An Anthology by Kurt Schleucher

Copyright 1983 by Turris-Verlag Darmstadt
Wissenschaftliche Mitarbeit: Ursula Richter
Übersetzungen: Fances Lewis und Ilse Fang
Satz und Druck: Roetherdruck Darmstadt
Bindearbeiten: C. Fikentscher, Darmstadt
Typographie der Titelseite: Hermann Zapf, Darmstadt
ISBN 3-87830-015-8
Printed in the Federal Republic of Germany

Deutsch-Amerikanische Briefmarken-Ausgabe
zum 300. Jahrestag der Einwanderung
der ersten Deutschen in Amerika

German-American stamp
to commemorate the 300th anniversary
of the immigration of the first German settlers
to America

Mit dreizehn Familien aus Krefeld, die am 6. Oktober 1683 in Philadelphia landeten, begann die deutsche Einwanderung nach Amerika.

Ihnen folgten im Laufe der vergangenen drei Jahrhunderte mehr als sieben Millionen Deutsche, die ihre Heimat verließen, um in der Neuen Welt Freiheit, Schutz vor Verfolgung, aber auch ein besseres wirtschaftliches Fortkommen zu suchen.

Sie fanden den Weg in ein Land, dessen Unabhängigkeit und Größe auf den Prinzipien der Selbstbestimmung des einzelnen und dem

Thirteen families from Krefeld landed at Philadelphia on October 6th, 1683, marking the beginning of German immigration into America.

During the past three centuries, these families were followed by more than seven million Germans who left their homes to seek freedom and refuge from persecution, as well as more favourable economic opportunities in the New World. They settled in a country whose independence and greatness are based on the principles of self-determination for each individual and the defence of civil liberties.

Schutze aller bürgerlichen Freiheiten gründet.
Die deutschen Einwanderer haben ihren Beitrag
zum Aufbau der Vereinigten Staaten von Amerika geleistet, als Landwirte und Gewerbetrei-
bende, als Wissenschaftler und Künstler, als
Soldaten, Lehrer und Politiker. Amerika, das
ihnen Heimatrecht einräumte, ist ihnen zum
Vaterland geworden.
Zweimal in diesem Jahrhundert waren die Beziehungen zwischen unseren beiden Ländern
schweren Belastungen ausgesetzt. Aus ihrer
Überwindung ist dann jedoch eine enge
Freundschaft hervorgegangen. Sie beruht nicht
nur auf dem Bündnis, das die Bundesrepublik
Deutschland und die USA in einer transatlanti-
schen Partnerschaft zusammenhält. Sie bezieht
ihre Festigkeit vielmehr aus dem Gleichklang
der Werte, auf denen unsere staatliche und ge-
sellschaftliche Ordnung aufbaut: der Freiheit,
dem Recht und der Demokratie

Karl Carstens
Präsident der Bundesrepublik Deutschland

The German immigrants have made their contribution to the development of the United States of America as farmers and tradesmen, as scientists and artists, as soldiers, teachers and politicians. America, which offered them a home, has become their fatherland.

Twice during this century the relations between our two countries have been put to a severe test. As these crises were overcome, however, a close friendship developed. It is rooted not only in the Alliance which links the Federal Republic of Germany and the United States in a transatlantic partnership, but draws its strength from our shared values, on which our public and social order are based: freedom, justice and democracy.

Karl Carstens
President of the Federal Republic of Germany

Die dreizehn Familien, die vor dreihundert Jahren in die Neue Welt aufbrachen, waren die Vorläufer von über sieben Millionen deutschen Einwanderern, und heute berufen sich mehr Amerikaner auf eine deutsche Abstammung als auf jede andere. Diese Deutschen rodeten und bepflanzten unser Land, erbauten unsere Industrien und bereicherten unsere Kunst und Wissenschaften.

Die Deutschen haben uns viel gegeben. Vielleicht hat mein Land einen Teil dieser Schuld wieder abgetragen. Die amerikanische Revolution war die erste in der modernen Geschichte, die den Kampf um Selbstregierung und um die Garantie der Bürgerrechte aufgenommen hatte. Dieser Gedanke war ansteckend. Die

The thirteen families who came to our New Land 300 years ago were the forerunners of more than seven million German immigrants to the United States. Today more Americans claim German ancestry than any other. These Germans cleared and cultivated our land, built our industries, and advanced our arts and sciences. The Germans have given us so much, we like to think that we have repaid some of that debt. Our American Revolution was the first revolution in modern history to be fought for the right of self-government and the guarantee of civil liberties. That spirit was contagious. In 1849 the Frankfurt Parliament's statement of basic human rights guaranteed freedom of expression, freedom of religion, and equality before the

vom Frankfurter Parlament 1849 verkündeten grundlegenden Bürgerrechte garantierten Rede- und Religionsfreiheit und die Gleichheit vor dem Gesetz. Im Grundgesetz der Bundesrepublik Deutschland leben diese Prinzipien weiter. Das deutsche Volk hat einen bewundernswerten Dom der Demokratie aufgerichtet. Aber ein weiteres Bauwerk steht uns noch bevor. Wir müssen einen Dom des Friedens bauen, wo Nationen den Krieg und Menschen den Verlust ihrer Rechte nicht zu fürchten brauchen.

Ich habe die Geschichte des berühmten Kölner Doms gehört, wie seine herrlichen, aufstrebenden Türme wie ein Wunder die Zerstörung ringsumher und die Beschädigung der Kirche selber überdauert haben. Laßt uns wie die Kölner einen solchen Dom bauen – aus tiefster Überzeugung und mit Entschlossenheit. Laßt ihn uns bauen wie sie es taten – nicht nur für uns, sondern für die kommenden Generationen. Denn wenn wir beim Bau des Friedens richtig vorangehen, wird er genauso dauerhaft sein wie die Türme von Köln.

Ronald Reagan
Präsident der Vereinigten Staaten von Amerika

law. And these principles live today in the basic law of the Federal Republic of Germany.

The German people has built a remarkable cathedral of democracy. But we still have other work ahead. We must build a cathedral of peace, where nations are safe from war and where people need not fear for their liberties.

I have heard the history of the famous cathedral at Cologne, how those beautiful soaring spires miraculously survived the destruction all around them, including part of the church itself. Let us build a cathedral as the people of Cologne built theirs – with the deepest commitment and determination. Let us build as they did – not just for ourselves but for the generations beyond. For if we reconstruct our peace properly, it will endure as long as the spires of Cologne.

Ronald Reagan
President of the United States of America

Netz der Freundschaft

Es gibt eine sehr tiefe, emotional-kulturelle Verbindung zwischen uns und den Vereinigten Staaten von Amerika. Diese Verbindung teilen wir Deutschen mit den übrigen Völkern Europas; sie hat starke familiäre und ethnische Aspekte. Amerika ist in einem gewissen Sinne, wie de Gaulle sagte, die Tochter Europas, aller-

Network of Friendship

There is a very deeply-rooted emotional and cultural bond between us and the United States of America. We Germans share this bond with the other nations of Europe; it has important family-related and ethnic aspects. As de Gaulle said, America is, in a sense, the daughter of Europe, but this does not give us the right to

dings nicht in dem Sinne, daß wir in besserwisserischer Art wie ein älterer Vater mit seiner jungen Tochter umgehen dürfen.

Die geistigen und politischen Grundwerte der personalen Menschenwürde und des nationalen Selbstbestimmungsrechts, der Freiheit, der Rechtsstaatlichkeit und des Willens zum Frieden in Freiheit stellen tiefe Bindungen dar, die ganz natürlich auch in den Bereich des Menschlichen, des Persönlichen und eines weitverzweigten, unschätzbaren Freundschaftsnetzes eingehen.

Alois Mertens

Meinem Herzen und Verstand waren sie von früh an lieb und teuer: die Symphonien Beethovens, die Dramen Schillers und Lessings, die Dichtungen Goethes, Heines und Hölderlins, und ich betete darum, daß diese gewaltigen Geister, der Deutschen wahres Erbteil, ihnen in den Tagen der Verzweiflung zu Hilfe kommen möchten.

Yehudi Menuhin

treat the United States in a know-it-all fashion, like some older fathers might treat their young daughters.

The basic spiritual and political values of personal human dignity and the right of nations to self-determination, freedom, the rule of law and the will for peace in freedom represent strong links which are, of course, also felt in the human and personal sphere, contributing to a far-reaching, invaluable network of friendship.

Alois Mertes

From early days I held them dear: the symphonies of Beethoven, the plays of Schiller and Lessing, the poems of Goethe, Heine, and Hölderlin. And I prayed that these mighty spirits, who were the true heritage of the German people, might come to their aid in the days of despair.

Yehudi Menuhin

Warum wir Deutschland mit Lebensmitteln versorgen? Vom Standpunkt meiner westlichen Erziehung aus würde ich sofort sagen, weil wir einem Mann, den wir geschlagen haben, nicht in den Bauch treten.

Vom Standpunkt eines Friedensunterhändlers aus geschieht es, weil wir Ordnung und eine feste Regierung in Deutschland aufrechterhalten müssen, wenn wir jemand haben wollen, mit dem wir einen Friedensvertrag unterzeichnen können.

Vom Standpunkt der Menschlichkeit aus würde ich sagen, daß wir nicht gegen Frauen und Kinder gekämpft haben und auch jetzt nicht damit anfangen.

Wir haben unseren Blick in die Geschichte nach vorn und nicht nach hinten gerichtet. Wir und unsere Kinder müssen mit diesen siebzig Millionen Deutschen leben. Ungeachtet dessen, was wir in diesem Augenblick [1919] empfinden mögen, müssen wir in unseren Gedanken die kommenden hundert Jahre miteinbeziehen und solche Handlungen in die Geschichte eingehen lassen, die vor unseren Enkeln bestehen.

Herbert Hoover

Why we are feeding Germany. From the point of view of my Western upbringing, I would say at once, because we do not kick a man in the stomach after we have licked him.

From the point of view of a peace negotiator, it is because we must maintain order and stable government in Germany if we would have someone with whom to sign peace.

From the point of view of a humanitarian, I would say that we have not been fighting with women and children and we are not beginning now.

Our face is forward, not backward on history. We and our children must live with these seventy million Germans. No matter how deeply we may feel at the present moment {1919], our vision must stretch over the next hundred years and we must write now into history such acts as will stand creditably in the minds of our grandchildren.

Herbert Hoover

Bei unserer ersten Zusammenkunft [Berlin 1940] traf ich Helmut J. Graf von Moltke vertieft in das Studium der Federalist Papers [Verfassungsrechtlichcs Sammelwerk amerikanischer Staatsmänner]. Er suchte Anregungen für die Verfassung eines zukünftigen demokratischen Deutschlands. Es war ein Bild, das ich nie vergessen habe, wie dieser Sproß einer berühmten preußischen Offiziersfamilie, selber inmitten eines Weltkriegs für den deutschen Generalstab tätig, sich des Nachts allein den Schriften der Gründer unserer eigenen Demokratie zuwandte, um dort voll Bescheidenheit nach Ideen zu suchen, wie Deutschland aus seiner Verirrung und Verderbnis hinauszuführen sei. Für mich ist Moltke eine so große moralische Figur und zugleich ein Mann mit so umfassenden und geradezu erleuchtenden Ideen, wie mir im Zweiten Weltkrieg auf beiden Seiten der Front kein anderer begegnet ist.

George F. Kennan

I found Count Helmuth J. v. Moltke, on that first occasion [Berlin 1940], immersed in a study of the Federalist Papers – to get ideas for the constitution of a future democratic Germany; and the picture of this scion of a famous Prussion military family, himself employed by the German general staff in the midst of a great world war, hiding himself away and turning, in all humility, to the works of some of the founding fathers of our own democracy for ideas as to how Germany might be led out of its existing corruption and bewilderment has never left me. I consider him, in fact, to have been the greatest person, morally, and the largest and most enlightened in his concepts, that I met on either side of the battle lines in the Second World War.

George F. Kennan

Die amerikanische Geschichte hat uns eines gelehrt: Wenn wir aufgeschlossen gegenüber neuen Ideen und Begriffen, unbeirrbar in unserem Willen und in unverbrüchlicher Treue zu unserer Tradition der Toleranz und der Freiheit unsere Verpflichtungen auf uns nehmen, ist keine Anforderung zu groß für uns.

John J. McCloy

Zum ersten Male in der Geschichte ist die Regierung der Vereinigten Staaten mit einer deutschen Regierung verbündet.
Berlin nimmt, mit amerikanischen Augen gesehen, seit den heroischen Tagen der Blockade einen besonderen Platz ein.
Es liegt auf der Hand, daß wir uns in den Vereinigten Staaten bemühen müssen, das neue Deutschland, mit dem wir so eng verbunden sind, auch zu verstehen.

James B. Conant

It is a lesson of American history that when we meet our responsibilities with minds open to new ideas and concepts, with determination, and with firm adherence to our tradition of tolerance and freedom, no challenge is too great for us.

John J. McCloy

For the first time in our history, the United States government is allied to a German government.
Berlin has occupied a special place in American eyes ever since the heroic days of the blockade. It is obvious that we in the United States need to try to understand the new Germany to which we are so firmly bound.

James B. Conant

Welche Traumwelle verschlug mich aus dem entferntesten Winkel Deutschlands, wo ich geboren wurde und wohin ich doch schließlich gehöre, in diesen Saal, auf dieses Podium, daß ich hier als Amerikaner stehe, zu Amerikanern redend? Nicht als ob es mir unrichtig schiene. Im Gegenteil, es hat meine volle Zustimmung, – das Schicksal hat für diese Zustimmung gesorgt. Wie heute alles liegt, ist meine Art von Deutschtum in der gastfreien Kosmopolis, dem rassischen und nationalen Universum, das Amerika heißt, am passendsten aufgehoben.

Alles andere hätte eine zu enge und bestimmte Verfremdung meiner Existenz bedeutet. Als Amerikaner bin ich Weltbürger, – was von Natur der Deutsche ist, ungeachtet der Weltscheu, die zugleich damit sein Teil ist.

In seiner Weltscheu war immer so viel Weltverlangen, auf dem Grunde der Einsamkeit, die es böse machte, ist, wer wüßte es nicht! der Wunsch, zu lieben, der Wunsch, geliebt zu sein. Zuletzt ist das deutsche Unglück nur das Paradigma der Tragik des Menschseins überhaupt. Der Gnade, deren Deutschland so dringend bedarf, bedürfen wir alle.

Thomas Mann

W hich dream can it have been that drove me from the remotest corner of Germany, where I was born and where, after all, I belong, to this hall and to this podium, where I stand as an American speaking to Americans? Not that I feel it was wrong that it should be so: quite the opposite – it has my full approval. Fate saw to it that I should approve. As things are today, my kind of Germanity is best adapted to this hospitable cosmopolis, the universe of races and nations which is America.

Anything else would have been a restriction and a certain alienation of my existence. As an American I am a citizen of the world – as the German also is by nature, notwithstanding the shyness of the world which is at the same time characteristic of him.

There has always been so much longing for the world underlying this shyness, and beneath the loneliness which turned it into wickedness is the desire to love and to be loved. Finally, the German misfortune is only the paradigm of the common human tragedy. We all as individuals need the graciousness which Germany so pressingly needs.

Thomas Mann

So saß ich 1946 im Berliner Hebbeltheater in Thornton Wilders Stück „Wir sind noch einmal davongekommen", das ich in New York vor einem literarisch versierten, ästhetisch verwöhnten Publikum hatte spielen sehen: hier waren die Menschen im Zuschauerraum die gleichen wie die auf der Bühne, welche die Eiszeit und die Sintflut um Haaresbreite überstanden hatten – selbst noch von allen Schauern der Bedrohnis erfüllt, von ihrem eigenen Schicksal ergriffen.

Carl Zuckmayer

Niemals konnte der Friede größere Bedeutung und Sinntiefe haben als in Berlin im Jahre 1946. Ich kam mit meiner Frau Diana in die Hauptstadt einer großen Nation, die vom Krieg verwüstet war und zu tiefer, brennender Selbstprüfung und Gewissenserforschung erwachte; ja ich kam unmittelbar aus der Mitte Ihrer jüngsten Gegner, von Völkern, die das Opfer des Krieges waren, um Ihre Musik, unsere Musik, die universale Musik Beethovens zu spielen. Friede bedeutete zu jener Zeit so viel wie neu entzündeter Glaube, durstendes Verlangen nach erneuertem Vertrauen, Suche nach

There I sat in 1946 in the Hebbeltheater in Berlin, watching Thornton Wilder's play "The Skin of Our Teeth", which I had seen performed in New York before an audience well-versed in literature and esthetically overindulged. Here in Berlin the people in the auditorium were like those on the stage, who had survived Ice Age and Flood by a hair's breadth – still shuddering with horror at the fate that had threatened them, and moved by their own destiny.

Carl Zuckmayer

Peace could have no greater depth of meaning than it had in Berlin in 1946. I arrived with my wife Diana in the capital of a war-ravaged nation, which had awoken to deep and burning self-scrutiny and conscience searching. I had come from the midst of their recent opponents, peoples who had been victims of the war, to play their music, our music, the universal music of Beethoven. At that time peace meant newly kindled faith and a hungry longing for renewed trust. It meant the search for spiritual encouragement and financial assistance to restore the dignity of a people and the economy of a nation,

geistiger Ermutigung und materieller Hilfe bei der Wiederherstellung der Würde eines Volkes, beim Wiederaufbau der Wirtschaft einer Nation und bei der Verwandlung des Todesevangeliums in das der ewigen Werte des Lebens.

Yehudi Menuhin

Die Luftbrücke [Berlin 1948] war uns ein Stück Alltagsleben geworden. Als sie auf ihrem Höhepunkt war, flogen die Maschinen in Abständen von dreißig Sekunden ein und aus. Meine Berliner Wohnung lag direkt unter der Anflugstrecke nach Tempelhof. Ich gewöhnte mich daran, unter dem gleichmäßigen Dröhnen gut zu schlafen und wachte nur auf, wenn kein Flugzeug in der Luft war und fragte mich dann nach dem Grund.
Ich hatte vor, Berlin am 15. Mai zu verlassen, um in die Vereinigten Staaten zurückzukehren, und bat General Howley, einen Besuch beim Regierenden Bürgermeister Reuter für mich zu verabreden; ich wollte mich verabschieden und ihm meine Anerkennung für seine mutige Führung der Berliner Bevölkerung ausdrücken.

and to transform the Gospel of Death into that of the eternal values of Life.

Yehudi Menuhin

The airlift [Berlin 1948] had become a part of our daily lives. At its peak planes were arriving and departing at intervals of thirty seconds. My home in Berlin was directly under the approach to Tempelhof and I learned to sleep well under the steady drone overhead, waking only, when there were no planes in the air to wonder at the cause.

I was to leave Berlin on May 15 to return to the United States. I asked General Howley to arrange for me to call on Mayor Reuter to say good-by and to express my appreciation for his courageous leadership of the people in Berlin.

Reuter, in saying good-by, expressed the appreciation of the Berlin people for the aid and support which they had received from the United States during the blockade. It was at this meet-

In seinen Abschiedsworten dankte Reuter im Namen der Bevölkerung für die Hilfe und Unterstützung, die den Berlinern während der Blockade von den Vereinigten Staaten zuteil geworden waren. Bei dieser Zusammenkunft wurde beschlossen, den Platz vor dem Hauptgebäude des Tempelhofer Flughafens in „Platz der Luftbrücke" umzubenennen. Für die Piloten, die bei der Luftbrücke ihr Leben gelassen hatten, sollte dort ein Gedenkstein errichtet werden.

Lucius D. Clay

Auf meinem Weg [durch Berlin 1949] zur U-Bahn-Station überholte ich drei Kinder, die einen Airedaleterrier spazierenführten. „Seht doch mal", sagte der kleine Junge, „die dunkle Wolke da ist die Nachtfee und die helle ist die Tagfee." Du hast recht, mein Kerlchen, dachte ich bei mir, es gibt eine Tagfee und eine Nachtfee, eine helle Wolke und eine dunkle Wolke. Und welche von beiden über deinem Leben steht – welche Fee dich mit ihrem Stab berühren wird, wenn du erwachsen bist –, das ist die Frage. Zum Teil wirst du selbst es entscheiden müssen, denn nur wer ganz und gar

ing that the resolution was adopted to change the name of the public square in front of the main Tempelhof building to "Platz der Luftbrücke" (Air Bridge Square). It was announced that a memorial plaque would be placed in this square as a tribute to the airmen who had given their lives to the airlift.

Lucius D. Clay

On my way [across Berlin 1949] to the subway station, I passed three children, walking an Airedale dog. "Oh look", the little boy was saying, "the dark cloud is the night fairy and the light cloud is the day fairy". You are right, my little fellow – I thought to myself – there is a day fairy and a night fairy, a light cloud and a dark cloud. And which of these clouds will hang over you and overshadow your life in the days of your maturity – which fairy will wield the wand over you – is the great question. The answer will depend partly on you, since none of us is without will and responsibility

gefangen ist, hat weder Willen noch Verantwortung mehr. Aber zum größten Teil hängt die Entscheidung von uns Amerikanern ab. Denn wir haben große Kriege gewonnen und uns große Macht angemaßt. Und wir haben uns selbst die Verpflichtung auferlegt, auf jede Frage Antwort zu geben.

Wenn man diesen Kindern doch Gesundheit und Zuversicht bringen könnte, dachte ich, wenn ihnen doch nur einer zeigte, daß am Ende des zarten Regenbogens, der sich an diesem Nachmittag über ihnen spannte, wann immer die Märzsonne durch das Schneegestöber drang – daß es da Dinge wie Freiheit und Sicherheit gibt und Befriedigung über die eigene Leistung und einen Geist der Humanität, dem eine Welt voll Schönheit und Wärme offensteht: wenn einer das täte, dann würden die Trümmer ihre Macht über diese Kinder verlieren und die Tagfee die Herrschaft übernehmen.

George F. Kennan

who is not completely a prisoner. But it will depend more on us Americans. For we have won great wars and assumed to ourselves great powers. We have placed upon ourselves the obligation to have the answers.

If only somehow, I thought to myself, the inward influences of health and hope could be brought to these children, if it could be shown to them that somewhere, at the end of that faint rainbow that actually hovered over them on this afternoon whenever the March sun penetrated the snow flurries, there were such things as freedom and security and rewards for work accomplished and the chance to walk down the broad vistas of beauty and warmth in the human spirit: if these things could be done, then the ruins would lose their power over these children, and the day fairy would once again come into her own.

George F. Kennan

Alle freien Menschen, wo immer sie sein mögen, sind Bürger von Berlin. Deshalb, als ein freier Mann, sage ich mit Stolz: „Ich bin ein Berliner."

John Fitzgerald Kennedy

Man vergißt zu oft, daß die Basis der deutsch-amerikanischen Freundschaft sofort nach dem Krieg gelegt worden ist, mit dem, was am ersten, zweiten Tag geschah, als der Krieg vorbei war.
Die menschliche Seite trat sofort in Erscheinung. Trotz Fraternisierungsverbot kam es gleich in diesen allerersten Tagen und Monaten zu Tausenden von Bindungen.

Shepard Stone
1983 Ehrenbürger von Berlin

All free men, wherever they may be, are citizens of Berlin. Therefore, as a free man, I take pride in the words: "Ich bin ein Berliner".

John Fitzgerald Kennedy

It is too often forgotten that the basis of the German-American friendship was laid down within the first day or two after the end of the war.
At once the human side came to the fore, and despite orders not to fraternize, thousands of ties were established in those early days and months.

Shephard Stone
Honorary Citizen of Berlin in 1983

Amerikas humanitärer Gruß an das verelendete Nachkriegsdeutschland klang einsilbig und dennoch vielstimmig: CARE. Das neue Wort war die Abkürzung für eine private Hilfsorganisation in den USA: Cooperative for American Remittances to Europe.
Unbekannte, ungezählte Bürger Amerikas spendeten, damit Pakete voller Lebensmittel den Hunger der Deutschen linderten. 1953 konnte Berlins Regierender Bürgermeister Ernst Reuter das millionste CARE-Paket übergeben. Dieser Samariterdienst am ehemaligen Feind steht unverwischbar in dankbare Erinnerung geschrieben.

Max Fahrenbach

Man kann hier in Amerika nur als Vertreter eines Volkes, das durch diese wahrhaft apokalyptischen Erfahrungen hindurchgeschritten ist, seine warnende Stimme erheben und seinen Freunden auch in diesem so viel glücklicheren Lande sagen: Paßt auf, daß die humanen Umgangsformen, daß der Imperativ „Seid nett zueinander!" nicht das Letzte ist, was

America's humanitarian greeting to postwar Germany in her misery was monosyllabic but many-voiced: CARE. The new word was the abbreviation of the name of private charity in the USA: Cooperative for American Remittances to Europe. Countless unknown American citizens contributed to provide food parcels to alleviate the hunger of the German people. In 1953 the Mayor of Berlin, Ernst Reuter, was able to hand over the millionth CARE parcel. This Samaritan act on behalf of the former enemy is written ineradicably in our memories.

Max Fahrenbach

Here in America, as a representative of a people that has come through some truly apocalyptic experiences, one can only say in warning to one's friends in this so much luckier land: Take care that good manners and the principle "Be nice to one another!" figure not least in determining your relations with others. The very thing that the Americans possess in such

euer mitmenschliches Verhältnis bestimmt! Gerade das, was die Amerikaner in so hohem Umfang besitzen: diese Kunst des menschlichen Umganges, diese Fähigkeit, glatte und unkomplizierte Kommunikation zu erzeugen, das könnte mit einem Schlage gelähmt und ins Gegenteil verkehrt werden, wenn man nicht mehr weiß, wer der Mensch wirklich ist.

Wir können auch das Schmerzlichste in das Licht der Ewigkeit rücken, in dem wir miteinander stehen. Wir stehen uns nicht als Fremde gegenüber, sondern als Brüder. So haben wir es nicht vergessen, daß speziell die amerikanischen Christen die ersten waren, die wieder die Hand nach uns Deutschen ausstreckten und die uns und unsere hungernden Kinder wieder mit Brot und Kleidern versorgten. Alle, die wir das erfuhren, werden diese Tat helfender Liebe in unserem Herzen bewahren.

Helmut Thielicke

large measure – the gift of dealing with people, of establishing easy and uncomplicated communication – could be crippled at a stroke and turned into the very opposite if one were to forget the true nature of man.

It is possible to regard even the most painful things in the light of eternity which shines upon us all. We face one another not as strangers, but as brothers.

And we have not forgotten that it was the American Christians in particular who extended a helping hand to us Germans once again and provided food and clothes for us and our hungry children. All of us who experienced it will treasure the memory of this kindness in our hearts.

Helmut Thielicke

Im Herbst 1951 ließ der Rat der Stadt Krefeld die dortige Kronprinzenstraße umbenennen in Philadelphiastraße, geschehen auf Anregung der siebenköpfigen Krefeld-Delegation, die von ihrer dreimonatigen Studienreise durch die USA zurückgekommen war und der ich angehören durfte.

Der neue Name erinnert an die Auswanderung der dreizehn Krefelder Familien nach Amerika im Jahr 1683. Sie landeten am 6. Oktober bei Philadelphia und gründeten in der Nachbarschaft ihre Siedlung Germantown. Heute ist sie ein Stadtteil Philadelphias, das schon seit Generationen eine Crefeld Street hat. Ich durchwanderte sie fasziniert 1951 und begleitete 1953 die amerikanischen Freunde bei ihrem Gegenbesuch auf dem ersten Gang durch die Philadelphiastraße in Krefeld.

Eine „Straße der Bruderliebe" in Deutschland – es gibt wohl kein schöneres Symbol für das Aufeinanderzugehen, für das gegenseitige Verständnis zwischen Amerikanern und Deutschen.

Marianne Gatzke

In the fall of 1951 the City Council of Krefeld changed the name of the city's Kronprinzenstrasse into Philadelphiastrasse, – thus acting upon the initiative of the seven Krefeld citizens delegation just having returned from their three months US study trip. I was a member of that group.

The new name commemorates the emigration of thirteen Krefeld families to America in 1683 where they landed on October 6. Than they founded Germantown and settled on the site which later became a section of Philadelphia. For generations Germantown has a street with the name of Crefeld Street. I was fascinated when I walked this street in 1951 – and equally so in 1953 when I led the American friends on their return visit for the first time along Philadelphiastrasse in Krefeld.

A "Street of brotherly love" in Germany – there cannot be a finer token of mutual approach and mutual understanding between Americans and Germans.

Marianne Gatzke

Die Einheit des Menschengeistes

Es ist bezeichnend für Goethe, daß er uns die Augen für die kommende Weltliteratur öffnete. In seinem Wesen standen der Wissenschaftler und der Dichter längst in enger Beziehung. Er, der unter dem Mikroskop die Struk-

The Unity of
Human Mind

It is characteristic of Goethe that he opened
our eyes to the coming world literature. In his
nature, the scientist and the poet had long stood
in close relation. Examining under his micro-
scope the structures of vertebrates and plants he

tur von Wirbeltieren und Pflanzen untersuchte, war längst an die Jahrmillionen gewöhnt, die bei Lebewesen zur Veränderung einer Spezies nötig sind; sich an den Literaturen anderer Länder ergötzend, hatte er immer neue Bestätigungen seines tiefinnerlichen Glaubens an die Einheit des Menschengeistes gefunden.

Für ihn bedeutete Weltliteratur nicht die Ausmerzung örtlicher, nationaler und volklicher Merkmale, ein Verwässern eigentümlicher Einzelheiten. Goethe – wie alle Augenmenschen – freute sich am Besonderen und Individuellen. Unsere Verschiedenheit bleibt bestehen, wie sie in der Natur bestehen bleibt, wo kein Baum, kein Tal und kein Auge je einem andern völlig gleich ist. Nur die Beziehung zwischen den Dingen untereinander (wie sie in unserem Geist besteht) ändert sich, und angesichts solcher Veränderung behauptete er, Nationalliteratur wolle nicht mehr viel sagen.

Thornton Wilder

had long been accustomed to the millions of years required for an alteration in the species; delighting in the literatures of other countries he had found ever-new confirmation of his deepest belief in the unity of human mind.

For him world literature did not mean the elimination of local, of national and racial characteristics, a watering-down of specific detail. Goethe – like all eye-natures – rejoiced in the specific and the individual. Our diversity remains, as it remains in nature where no tree, no valley, and no eye is ever identical with another. Only the relation between one thing and another (as that relation exists in our minds) is changed and it is in the light of that change that he says: National literature no longer means very much.

Thornton Wilder

Ein paar Nordamerikaner, Herr Ticknor und Professor Everett, die sich hier seit einiger Zeit aufhalten, und unserer Liebe und Freundschaft sich erfreuen, da sie solche in vollem Maße verdienen, bitten mich um ein Empfehlungsschreiben an Sie, und dies habe ich ihnen um so weniger versagen wollen, da es Ihnen, wie ich hoffe, selbst Freude machen wird, sie kennenzulernen. Sie reden leidlich deutsch und kennen Ihre Schriften besser als viele Deutsche; diese letztern haben sie eben angetrieben, wie sie mir oft gesagt, nach Deutschland zu kommen. Mögen sie Ihnen zu einer bequemen Stunde in Weimar begegnen.

Sartorius an Goethe

Alles in allem ist seine [Goethes] Person nicht nur verehrenswert, sondern auch imposant. In seinen Umgangsformen ist er einfach. Er empfing uns ungezwungen, aber mit Sorgfalt und Eleganz und machte uns keine deutschen Komplimente.
Einmal entzündete sich seine Begeisterung, und unversehens ereiferte er sich fast, als er über den Mangel an freier Beredsamkeit in Deutschland klagte. Er sagte, was ich vorher nie gehört hatte,

Two North Americans, Mr. Ticknor and Professor Everett, who have been living here for some time and take great pleasure in our kindness and friendship, which they merit in every respect, have asked me for a letter of introduction to you, and I was all the more reluctant to refuse them this, as I believe that you yourself would enjoy meeting them. They both speak German fairly well, and are more familiar with your works than many Germans are. They have often told me that it was these that inspired them to come to Germany. I do hope that you will receive them in Weimar at some convenient time.

Sartorius to Goethe

Taken together, his [Goethe's] person is not only respectable, but imposing. In his manner, he is simple. He received us without ceremony, but with care and elegance, and made no German compliments.
Once his genius kindled, and in spite of himself he grew almost fervent as he deplored the want of extemporary eloquence in Germany, and said, what I never heard before, but which is eminently true, that the English is kept a much

was aber ganz und gar wahr ist, daß das Englische durch den Einfluß der Beredsamkeit viel lebendiger erhalten wird. „Hier", sagte er, „haben wir keine Beredsamkeit. Unser Predigen ist ein monotones, mittelmäßiges Deklamieren. Öffentliche Debatten haben wir überhaupt nicht, und wenn wir manchmal in unseren Hörsälen ein wenig Inspiration bekommen, ist sie deplaziert, denn Beredsamkeit lehrt nicht."

George Ticknor

Da ich hörte, daß sich Eure Exzellenz für Handschriften berühmter Persönlichkeiten interessieren, habe ich mir die Freiheit genommen, den Umschlag eines Empfehlungsschreibens an Lord Holland beizufügen. Mit diesem Brief hat mich Mr. Monroe, der kürzlich zum Präsidenten der Vereinigten Staaten gewählt wurde, freundlicherweise beehrt. – Sollten es Eure Exzellenz wünschen, kann ich auch Proben besorgen von den Schriften der Herren Adams, Jefferson und Madison, die Mr. Monrocs Vorgänger im Präsidentenamt waren, und vielleicht auch von unserem ersten Präsidenten, General Washington.

Edward Everett an Goethe

more living language by its influence. "Here", he said, "we have no eloquence, our preaching is a monotonous, middling declamation, – public debate we have not at all, and if a little inspiration sometimes comes to us in our lecture-rooms, it is out of place, for eloquence does not teach."

George Ticknor

Having heard that your Excellency felt an interest in the handwriting of distinguished persons, I have taken the liberty to enclose the envelope of a letter of introduction to Lord Holland, with which Mr. Monroe, lately chosen president of the United States of America, has been so good as to favour me. – Should your Excellency desire it, I can procure also specimens of the writing of Messrs. Adams, Jefferson, and Madison, the predecessors of Mr. Monroe, in the presidency, and perhaps also of general Washington our first president.

Edward Everett to Goethe

Es ist schon seit langem mein Wunsch, für die Universitätsbibliothek eine Gedenkabteilung über bedeutende Persönlichkeiten Europas einzurichten; und viele in England wie auch in Deutschland haben uns schon die Ehre erwiesen, der Bibliothek eine Kopie einer ihrer Schriften zu schenken. Sollte es Eurer Exzellenz gefallen, uns mit einem Band Ihrer Werke, den Sie gerade zur Hand haben, diese Gunst zu erweisen und ihn in Ihrer eigenen Handschrift unserer Bibliothek zu widmen, würden wir uns sogleich hocherfreut und geehrt fühlen.

Edward Everett an Goethe

Zur Bücherspende für die Harvard-Universität: Möge mir hiedurch das Vergnügen und die Vergünstigung einer immer näheren Bekanntschaft mit dem wundervollen Land zuteil werden, das durch einen friedlichen, gesetzlichen, ein unbegrenztes Wachstum befördernden Zustand die Augen aller Welt auf sich zieht.

Goethe an Joseph Green Cogswell

It has been my desire to procure for the library of the university a memorial of distinguished characters in Europe; and many in England as well as [in] Germany have already done us the honour to present the library, with a copy of some one of their writings. Should it be agreeable to your Excellency to favour us, with any volume of your writings, you may chance to have at hand, and to address it in your own handwriting to our library, we should feel ourselves at once highly gratified and honoured.

Edward Everett to Goethe

On the presentation of his works to Harvard University: May I hereby be granted the pleasure and favor of an ever closer acquaintance with that wonderful country which attracts the eyes of all the world with its peaceful, law-abiding condition that promotes unlimited growth.

Goethe to Joseph Green Cogswell

Stellen wir uns vor: der Olympier aus Weimar, Johann Wolfgang von Goethe, begegnet dem „Weisen von Monticello", dem amerikanischen Präsidenten Thomas Jefferson. Es hätte nicht an Berührungspunkten gefehlt. Beide Männer würden in einem Gespräch sehr bald ihre gemeinsame Liebe zu Italien entdeckt haben, sie teilten die Bewunderung für Andrea Palladio. Jefferson hätte sicherlich erzählt, daß er die Entwürfe für seinen Besitz Monticello eigenhändig nach dem Vorbild Palladios angefertigt hatte. Doch teilte er auch das naturwissenschaftliche Interesse mit Goethe und mochte ihn auf den Knochenfund von Virginia aufmerksam gemacht haben. Jefferson hatte die riesenhaften Knochen, die nach seiner Schätzung von einem löwenähnlichen Tier stammten, der Amerikanischen Philosophischen Gesellschaft zukommen lassen; sie ließ den Fund später als „Megalonyx Jeffersoni" klasssifizieren. Bei einer Flasche Wein wird der Amerikaner wohl auch mit Stolz von seinen Weingärten erzählt haben, für die er die wertvollen Rebstöcke eigens aus Frankreich und Italien hatte kommen lassen. Goethe wird die demokratisch-freiheitliche Gesinnung Jeffersons und seine Formulierung der Menschenrechte bekannt gewesen sein. Er, dessen väterliche Fürsorge der Univer-

Let us just imagine how it would have been if the Olympian from Weimar, Johann Wolfgang von Goethe, had met the Sage of Monticello, the American President Thomas Jefferson. There would have been no lack of points of contact. In the course of conversation, the two men would quickly have discovered their mutual love of Italy; they shared an admiration for Andrea Palladio. Jefferson would surely have told how he himself drew the plans for his estate Monticello on Palladio's model. He also shared Goethe's interest in science, and might have informed him of the gigantic bones discovered in Virginia. Jefferson himself judged these to come from a lion-like animal, and had handed them over to the American Philosophical Society; they later classified the bones as those of "Megalonyx Jeffersoni". Over a bottle of wine the American would have talked with pride of his vineyards, for which he had procured valuable vines from France and Italy. Goethe will have been familiar with Jefferson's free democratic opinions and his formulation of human rights. Nevertheless, he (whose fatherly care was bestowed upon the University of Jena) might have learned with astonishment of the founding of the University of Virginia. This had been tirelessly promoted by Jefferson, who believed

sität Jena galt, mag jedoch mit Erstaunen von der Gründung der Universität von Virginia erfahren haben, die Jefferson mit seiner Überzeugung, „daß Gesetze und Institutionen Hand in Hand mit dem Fortschritt des menschlichen Geistes einzurichten sind", unermüdlich vorangetrieben hatte und die er bis zu seinem Lebensende als Rektor leiten sollte.

Ursula Richter

Die Deutschen sagen, wir seien nicht imstande, Goethe zu verstehen; aber Übersetzungen sind vielleicht weit sicherere Bürgen für wahre Genialität, wo solche sich findet; denn wenn es auch von schlechten Übersetzungen wimmelt, so wird doch das echte Metall, wo dessen wirklich vorhanden ist, sich selbst im Abhub und in den Schlacken nicht verkennen lassen.

James Fenimore Cooper

"that laws and institutions must go hand in hand with the progress of the human mind", and he continued to be its rector until the end of his life.

Ursula Richter

The Germans say, we cannot feel Goethe; but after all, a translation is perhaps one of the best tests of genius, for though bad translations abound, if there is stuff in the original, it will find its way even into one of these.

James Fenimore Cooper

Über das Projekt, durch die Landenge von Panama einen Kanal zu bauen, sagte Goethe 1827 zu Eckermann:

Gelänge ein Durchstich derart, daß man mit Schiffen von jeder Ladung und jeder Größe durch solchen Kanal aus dem Mexikanischen Meerbusen in den Stillen Ozean fahren könnte, so würden daraus für die ganze zivilisierte und nichtzivilisierte Menschheit unberechenbare Resultate hervorgehen. Wundern sollte es mich aber, wenn die Vereinigten Staaten es sich sollten entgehen lassen, ein solches Werk in ihre Hände zu bekommen. Es ist vorauszusehen, daß dieser jugendliche Staat, bei seiner entschiedenen Tendenz nach Westen, in dreißig bis vierzig Jahren auch die großen Landstrecken jenseits der Felsengebirge in Besitz genommen und bevölkert haben wird.

Es ist für die Vereinigten Staaten durchaus unerläßlich, daß sie sich eine Durchfahrt aus dem Mexikanischen Meerbusen in den Stillen Ozean bewerkstelligen, und ich bin gewiß, daß sie es erreichen.

Goethe

Of the possibility of constructing a canal through the Isthmus of Panama, Goethe said to Eckermann in 1827:

Were such a canal to make it possible for ships of all sizes and with cargoes of every kind to sail directly from the Gulf of Mexico into the Pacific, the consequences for Mankind would be incalculable. I should be surprised, however, if the United States were to miss the opportunity of undertaking such an enterprise. Given its decided tendency to expand westward, it may be imagined that within 30–40 years this young country will have settled and populated the vast stretches of land beyond the Rocky Mountains. It is of vital importance for the United States that such a passage between the Gulf of Mexico and the Pacific be engineered, and I feel sure that they will achieve it.

Goethe

Wie Goethe, den er verehrte, war Emerson als Dichter ein Weiser, als Weiser ein Dichter. Ihre poetische Verwandtschaft zeigt sich in Versen Emersons:

Einfach ist des Daseins tiefster Sinn.
Verworren, was darüber nachgesonnen.
Wenn ich nur liebe, wenn geliebt ich bin,
Kein Mensch, kein Gott hat Höheres gewonnen.
Kein Stäubchen ist, kein Pünktchen wegzunehmen,
Kein Deuten ändert dies und kein Verbrämen.

Die Stadt Concord, nahe Boston, in der Emerson fast fünfzig Jahre lebte, nachdachte und schrieb, hieß „das amerikanische Weimar", denn als Haupt der Transzendentalisten, die eine geistige Erneuerung aus dem Selbstverständnis des Menschen anstrebten, zog er bedeutende amerikanische Dichter an seinen Wohnort.

Johannes Kopfheim

Like Goethe, whom he revered, Emerson was a philosopher as poet, a poet as philosopher. Their poetic affinity is demonstrated in Emerson's lines:

The sense of the world is short,
Long and various the report –
To love and be beloved;
Men and gods have not outlearned it;
And, how oft soe'er they've turned it
T'wil not be improved.

The town of Concord, near Boston, where Emerson lived, reflected, and wrote for almost 50 years, was known as "the American Weimar". For, as chief of the Transcendentalists, who strove to derive spiritual renewal from the self-knowledge of the individual, he attracted important American poets to the place where he lived.

Johannes Kopfheim

Als erster Drucker in Amerika brachte der pfälzische Einwanderer Christoph Saur eine Bibel in europäischer Sprache heraus: das Alte und Neue Testament in der deutschen Übersetzung Martin Luthers. Sie erschien 1743 in Germantown. Der Sohn Saurs brachte 1763 und 1776 zwei weitere Auflagen heraus, denn Luthers Lehre gewann immer mehr Anhänger in Amerika.

John Lion

Aus Mainz fanden mehrere Exemplare der lateinischen Bibel, die Johannes Gutenberg um die Mitte des 15. Jahrhunderts gedruckt hatte, den Weg über den Atlantik nach Amerika. In Washington wird bis heute eines dieser wertvollsten Bücher der USA in der Congress-Bibliothek aufbewahrt. Jedesmal, wenn ein neuer Präsident vor dem amerikanischen Congress seinen Amtseid schwört, legt er die Linke auf die Gutenbergbibel und hebt die Rechte zum Schwur. Damit symbolisiert der feierliche Staatsakt zugleich, wie Alte und Neue Welt in christlicher Tradition miteinander verbunden sind.

Hans A. Halbey

Christoph Saur, an immigrant from the Palatinate, was the first printer in America to bring out a Bible in a European language: the Old and New Testaments in Luther's translation. It appeared in Germantown in 1743. Saur's son brought out two further editions in 1763 and 1776, for Luther's teaching was gaining more and more support in America.

John Lion

From Mainz several copies of the Latin Bible printed by Johannes Gutenberg in the mid-fifteenth century found their way across the Atlantic to America. Even today one of these – the most valuable books in America – is still kept in the Congress Library. Whenever a new president swears his oath of office before the American Congress, he lays his left hand on the Gutenberg Bible and raises his right hand for the oath. This ceremonial act symbolizes the union of Old World and New in Christian tradition.

Hans A. Halbey

Liebe zur Freiheit

Er liebte die Freiheit, sie war für ihn ein notwendiges Element unserer Zivilisation. Er war ein ergebener Freund von grundlegender institutioneller Freiheit. Oft reiste er im Geiste nach diesem Land. Daß er Amerika liebte (manchmal mit Wehmut), wird – wenn es nicht schon bekannt ist – hinreichend deutlich an der einzigartigen Liebe, die die Amerikaner ihm entgegenbrachten.

Franz Lieber über Alexander von Humboldt

Love for Liberty

He loved liberty, and considered it a neces-sary element of our civilisation. He was a sincere friend of substantial, institutional free-dom. His mind often travelled to this country, and that he loved America (sometimes with sad-ness) is sufficiently shown, were it not other-wise well known, by the singular love which the Americans bore him.

Franz Lieber about Alexander von Humboldt

Laß uns wandern, laß uns ziehn
Mit der Sonne nach Westen hin.
Dort an des Meeres anderem Strand,
Dort ist der Freiheit,
Dort der Menschheit Vaterland.

Karl Follen

Aus dem Protest der Deutschen von Germantown 1688 gegen die Sklaverei, dem ersten in Amerika: „Hier herrscht Freiheit des Gewissens, was recht und vernünftig ist. Hier sollte gleicherweise Freiheit des Körpers herrschen, außer für Übeltäter, was ein anderer Fall ist. Aber wir protestieren dagegen, Menschen wider ihren Willen herzubringen oder sie zu rauben und zu verkaufen. In Europa sind viele ihres Gewissens wegen unterdrückt. Doch hier werden diejenigen unterdrückt, die von schwarzer Farbe sind."

Franz Daniel Pastorius

L et us journey west
Let us follow the sun.
There on the other side of the ocean
There lies freedom and
There lies the fatherland of Mankind.

Karl Follen

S entences of the first protest against slavery in
America documented by the Germans of
Germantown 1688: "Here is liberty of conscience, which is right and reasonable; here
ought to be likewise liberty of the body, except
of evildoers, which is another case. But to bring
men hither, or to robb and sell them against
their will, we stand against. In Europe there are
many oppressed for conscience sake; and here
there are those oppressed which are of a black
colour."

Franz Daniel Pastorius

Man darf den in Frankfurt/M geborenen Jacob Leisler, Gouverneur der Stadt New York von 1689 bis 1691, als einen Wegbereiter der Unabhängigkeit sehen. Die englischen Kolonien in Nordamerika hat er, als in der Gefahr die Hilfe des Mutterlandes ungewiß war, als erster in einem Verteidigungsbündnis unter ihrer eigenen Verantwortung vereinigt und damit das Gemeinschaftsgefühl gestärkt, aus dem die große Idee der Vereinigten Staaten von Amerika hervorgehen sollte.

Rudolf Kraft

Gleich der erste New Yorker Zeitungsgründer ist zur politischen Galionsfigur des Pressewesens in Amerika geworden. Peter Zenger war 1710 als Dreizehnjähriger mit einer Schiffsladung deutscher Flüchtlinge aus der Pfalz nach New York gekommen. Bei dem städtischen Drucker ging er in die Lehre.
Als sich einige lokale Politiker mit dem korrupten Gouverneur des Staates überwarfen, ließen sie von Peter Zenger, der inzwischen seine eigene Druckerei aufgemacht hatte, ein Oppositionsblatt herausbringen. Dies „Weekly Jour-

Jacob Leisler, who was born in Frankfurt on the Main and was Governor of New York from 1689 to 1691, may be regarded as one of the first pioneers of independence. When the help of the motherland was uncertain in time of danger, he united the English colonies in North America for the first time as a defensive league under their own authority. Thus Leisler reinforced the common spirit out of which the great concept of the United States of America was to grow.

Rudolf Kraft

The very first New York newspaper founder became a figurehead of the press in America. Peter Zenger arrived in New York in 1710 at the age of 13; he was one of a shipload of German refugees from the Palatinate. He became apprenticed to the city printer.

When some local politicians fell out with the corrupt State Governor, Peter Zenger, who had meanwhile opened his own printing works, produced their opposition broadside. This "Weekly Journal" with its spirited attacks on the corruption in Albany, aroused the displeas-

nal" mit seinen forschen Angriffen gegen die Korruption in Albany erregte das Mißfallen von Gouverneur Crosby, der mehrere Nummern öffentlich verbrennen ließ. Doch Zenger ließ nicht nach und wurde verhaftet.

Der Zenger-Prozeß von 1735 ist ein Markstein in der Geschichte des Pressewesens, weil hier zum ersten Mal das Prinzip der Pressefreiheit mit Erfolg verteidigt wurde. Zengers Anwalt forderte für seinen Klienten das Recht und die Freiheit, „Mißbrauch der Macht wenigstens in diesem Teil der Welt durch Reden und Schreiben der Wahrheit offenzulegen und anzugreifen". Die Geschworenen brauchten nur wenige Minuten zum Freispruch. Zenger wurde als Volksheld gefeiert, und der Bürgermeister machte den tapferen Zeitungsmann zum Ehrenbürger der Stadt New York. Ein Klima unblutiger Aufsässigkeit war geschaffen, das den Keim legte für Unabhängigkeit und Abfall der Kolonie vom englischen Mutterland.

Sabina Lietzmann

Wären wir zwanzig Jahre jünger, so segelten wir noch nach Nordamerika.

Goethe als Siebzigjähriger

ure of Governor Crosby, who had several issues publicly burned. But Zenger did not give way, and he was arrested.

The Zenger trial of 1735 is a landmark in the history of the press, for it was the first time that the freedom of the press was successfully defended. Zenger's attorney demanded for his client the right and the freedom "in speech and in writing to expose and to attack the abuse of power – at least in this corner of the world." The jury took only a few moments to reach their verdict of acquittal. Zenger was celebrated as a folk hero, and the mayor of New York made him an honorable freeman of the city. A climate of unbloody rebellion was created, which sowed the seed for independence and the secession of the colony from the English motherland.

Sabina Lietzmann

Were we but twenty years younger, then we would go to North America.

Goethe at the age of seventy

Die amerikanische Unabhängigkeitserklärung vom 4. Juli 1776 entzündete die Begeisterung der deutschen Dichter für Amerika. Wieland rühmte den Unabhängigkeitskrieg als einen „labenden Anblick für den Menschenverstand". Klopstock pries die amerikanische Revolution wie einen „Frühlingsmorgen der neugeborenen Freiheit". Goethe, den Emerson einen Geistesverwandten Franklins und den „großen Gentleman des Kontinents" nannte, sah in der Trennung Amerikas von England eine der großen Weltbegebenheiten.

Kurt Schleucher

Als Hofprediger Zimmermann dem alten Großherzog Ludewig I. die neue hessische Verfassung als die beste gepriesen haben soll, habe der Großherzog erwidert: „Ich will Ihnen aber auch sagen, welche Verfassung ich für die beste halte: die nordamerikanische."

Manfred Knodt

The American Declaration of Independence on 4 July 1776 filled the German poets with enthusiasm for America. Wieland saw the War of Independence as something in which human reason could rejoice. Klopstock praised the American revolution as the "spring morn of newborn Freedom". Goethe, whom Emerson described as a spiritual brother of Franklin and as "the great gentleman of the Continent", regarded the secession of America from England as one of the great world events.

Kurt Schleucher

When the Chaplain Zimmermann of the Grandduke Louis I had praised the new (Hessian) Constitution as being the best, the Grandduke is said to have remarked: "But I also want to tell you which Constitution I will think to be the best: the North-American."

Manfred Knodt

Während des amerikanischen Unabhängigkeitskrieges (1775–1782) kaufte England zur Truppenverstärkung 30000 hessische Söldner. 1776 siegte General Washington bei Trenton/New Jersey über die Engländer und nahm über tausend Hessen gefangen. Sie wurden nach Philadelphia gebracht. Der General empfahl dem Rat der Stadt, den Gefangenen gute Unterkünfte zu geben und sie menschenwürdig zu versorgen.

Der weitsichtige Washington bat seine Landsleute, ihre Rachegefühle gegenüber diesen und den späteren deutschen Gefangenen zu unterdrücken und die „betrogenen Hessen" freundlich zu behandeln, denn sie könnten künftige Mitbürger und wertvolle Helfer beim Aufbau des Landes werden.

Die Einwohner Philadelphias verstanden Washingtons Willkommensgruß an die Hessen und folgten seinem Appell. Nach Krieg und Sieg blieben mehr als 6000 der ehemaligen Gefangenen in Amerika und dienten dem Land fortan als freie Menschen.

John Lion

During the American War of Independence (1775–1782), England hired 30000 Hessian soldiers as merceneries. In 1776 General Washington beat the English at Trenton, New Jersey, and took over a thousand Hessians prisoner. They were brought to Philadelphia, where the General recommended the Council to give them good accommodation and look after them humanely.

The far-sighted Washington bade his fellow countrymen to suppress their vengeful feelings towards these and later German prisoners, and to treat the "deceived Hessians" in a friendly manner, since they could become fellow citizens and valuable helpers in building up the country.

The inhabitants of Philadelphia understood Washington's welcome of the Hessians and responded positively to his appeal. After the war was won, more than 6000 of the former prisoners remained in America and served the country as free men.

John Lion

Im Deutschland des ausgehenden achtzehnten Jahrhunderts war der Name Benjamin Franklin Gemeingut aller Gebildeten. Der Beginn der amerikanischen Freiheitsbewegung wurde von den deutschen Dichtern, von Klopstock, Lessing und Wieland wie von den Stürmern und Drängern nahezu ohne Ausnahme begeistert begrüßt. Der junge Schiller erklärte, er wolle nach Amerika fahren. Herder sprach 1780 offen davon, daß „die Wissenschaften, wenn sie in Europa verfallen sein werden, in Amerika mit neuen Blüten und neuen Früchten aufgehen werden". Solche Vorstellungen waren vorzüglich von der Erscheinung Franklins beeinflußt, den Herder als „der Menschheit Lehrer und der menschlichen Gesellschaft Ordner" pries.

Peter de Mendelssohn

Die New Yorker Staatsbibliothek in Albany/NY verwahrt einen preußischen Degen. Ihn habe, so wird berichtet, Friedrich der Große an George Washington geschickt, dies mit der lakonischen Widmung: „Vom ältesten General der Welt an den größten."

John Lion

In Germany at the end of the eighteenth century, the name of Benjamin Franklin was a household word among all educated people. The beginning of the American freedom movement was greeted with delight by German poets almost without exception, by Klopstock, Lessing, and Wieland as by the Sturm und Drang (Storm and Stress) writers. The young Schiller declared his desire to go to America. Herder, in 1780, said openly: "When the Sciences have fallen into decay in Europe, they will reemerge in America to blossom and bear fruit anew." Such ideas were influenced in particular by the figure of Franklin, whom Herder praised as "the teacher of Mankind and the marshal of human society."

Peter de Mendelssohn

The New York State Library in Albany, New York has in its keeping a Prussian sword which, it is told, Frederick the Great sent to George Washington with the laconic dedication: "From the oldest general in the world to the greatest."

John Lion

Schon vor der Revolution von 1848 zogen viele Deutsche nach der Neuen Welt. Die Daheimgebliebenen spotteten: „Amerika-Krankheit". Doch der Philosoph Hegel erkannte in den Auswanderern die „Hoffnung, der historischen Bepanzerung des alten Europa zu entkommen".

Johannes Kopfheim

Nach dem Zusammenbruch der deutschen Revolution von 1848 retteten sich viele politische Flüchtlinge nach Amerika. Sie wollten nach der Parole von Carl Schurz die alte Sache der Freiheit auf dem Boden der Neuen Welt vertreten. Deutsche Zeitungen erschienen allenthalben in den Vereinigten Staaten. Sie spiegelten das sich wandelnde Lebensgefühl der Deutsch-Amerikaner und ihre Treue zur alten und neuen Heimat.

Erdmann Ball

Even before the revolution of 1848, many Germans emigrated to the New World. Those who stayed behind referred mockingly to "America disease". But the philosopher Hegel recognized in this movement the "hope of escaping the historical armor plating of the old Europe".

Johannes Kopfheim

After the failure of the German revolution of 1848, many political refugees fled to America. As Carl Schurz put it, they wanted to represent the old principle of freedom on the soil of the New World. German newspapers appeared everywhere in the United States. They reflected the changing attitude of the German Americans and their loyalty both to the old homeland and the new.

Erdmann Ball

Warum ist Besitz auch dann durch die Rechtsordnung geschützt, wenn der Besitzer nicht gleichzeitig der Eigentümer ist? Dieses allgemeine Problem hat den deutschen Geist vielfach beschäftigt.

Kant, Rousseau und die „Massachusetts Bill of Rights" (Deklaration der Grundrechte von Massachusetts) stimmen darin überein, daß alle Menschen frei und gleich geboren sind, und verschiedene Artikel jener Deklaration haben die Antwort auf die Frage geliefert, warum Eigentum bis auf den heutigen Tag zu schützen ist. Kant und Hegel gingen vom Freiheitsgedanken aus. Die Freiheit des Willens macht laut Kant das Wesen des Menschen aus.

Besitz muß geschützt werden, weil der Mensch im Wege der Besitznahme das Objekt in die Sphäre seines Willens gestellt hat. Wie Hegel gesagt haben würde, Besitzerwerb ist die objektive Verwirklichung des freien Willens.

Oliver Wendell Holmes

Wenn Du diesen Brief erhältst, schwimmt Deine alte Freundin bereits auf dem weiten Ozean dem freien Amerika zu, wo sie den geliebten einzigen Sohn und seine Liebe sowie

Why is possession protected by the law, when the possessor is not also an owner? That is the general problem which has much exercised the German mind.

Kant, Rousseau, and the Massachusetts Bill of Rights agree that all men are born free and equal, and one or the other branch of that declaration has afforded the answer to the question why possession should be protected from that day to this. Kant and Hegel start from freedom. The freedom of the will, Kant said, is the essence of man.

Possession is to be protected because a man by taking possession of an object has brought it within the sphere of his will. As Hegel would have said, possession is the objective realization of free will.

Oliver Wendell Holmes

When you receive this letter, your old friend will already be on her way across the ocean to America the Free, where she will find her beloved son and his love, as well as that

das Maß politischer Freiheit finden wird, die ein Bedürfnis ihrer Seele sind. Es duldet mich nicht länger in dem verwitterten und verfaulten Europa, und mit den letzten Atemzügen will ich die Freiheit in mich einsaugen, für die ich lebte, strebte und litt.

Amalia Schoppe an Justinus Kerner

Für die Alten ist das hier nichts mehr, und für die Weichen erst recht nicht. Für die ist die amerikanische Luft zu scharf. Hier muß einer Eisen im Blut haben. Hier darf er seine Harfe nicht an die Trauerweiden hängen, wenn er eine hat. Hier ist es nicht so gemütlich wie bei uns zu Hause.
Wir haben hier auch scharf ranmüssen, viel schärfer als in old Country. Das muß wahr sein. Aber dafür hab ich auch mehr vor mich gebracht. Das muß auch wahr sein. Hier hab ich mich frei gemacht. Hier stehe ich mit meinen Füßen auf meinem eigenen Boden und taglöhnere nicht beim Bauern. Das Freisein ist schon ein paar Eimer Schweiß wert.

Jürnjakob Swehn
an seinen Lehrer in Deutschland

measure of political freedom of which her soul has need. I could not have endured life much longer in this weathered and decayed Europe, and with my last breaths I want to inhale the freedom for which I lived, strove, and suffered.

Amalia Schoppe to Justinus Kerner

There's nothing here for old people, or for those who are soft: the American air is too raw for them. Here one has to have iron in the blood. One can't hang one's harp on a weeping willow, even if one has one. It's not so comfortable here as at home.
We've also had to drudge here, much more so than in the Old Country. That's only right. But then I've got on a lot better, and that's only right, too. Here I've made myself free: I stand on my own feet on my own land, instead of day-laboring for some farmer. Surely freedom is worth a few buckets of sweat.

Jürnjakob Swehn
to his teacher in Germany

Meine Hauptarbeit [während der Wahlkampagne 1860 für Lincoln] bestand darin, deutschgeborene Wähler in ihrer und meiner Muttersprache anzureden. Diese Aufgabe führte mich in den Staaten Wisconsin, Illinois, Indiana, Ohio, Pennsylvania und Neuyork nicht nur in die großen Städte, sondern auch in die kleinen Landstädtchen und Dörfer und zuweilen in entlegenere Gegenden, wo nur Ackerbau getrieben wurde. Hier fand ich oft meine Zuhörerschaft in Schulhäusern oder geräumigen Scheunen, zuweilen im Freien versammelt. Es war mir ein wahrer Genuß, auf diese Weise mit meinen Landsleuten zusammenzukommen, die sich mit mir des gemeinsamen alten Vaterlandes erinnerten; die von weit her gekommen waren, um für sich und ihre Kinder in diesem neuen Lande der Freiheit und des Fortschritts eine neue Heimat zu gründen. Ich gemahnte sie, daß wir unserem alten Vaterlande keine höhere Ehre erweisen könnten als dadurch, daß wir dem neuen Lande gewissenhafte und treue Bürger würden.

Carl Schurz

A large part of my work [during the campagne for Lincoln in 1860] consisted in addressing meetings of German-born voters in their and my native language. This took me into the States of Wisconsin, Illinois, Indiana, Ohio, Pennsylvania, and New York – not only into the large cities, but into small country towns and villages, and sometimes into remote agricultural districts, where I found my audiences in school-houses and even in roomy barns or in the open air; It was a genuine delight to me thus to meet my country-men who remembered the same old Fatherland that I remembered, and who had come from afar to find new homes for themselves and their children in this new land of freedom and betterment.

I said, we could do no greater honor to our old Fatherland than by being conscientious and faithful citizens of the new.

Carl Schurz

Ich habe das Gefühl, daß die Rezeptionsfähigkeit der zur Nation gewordenen Bevölkerung [Amerikas] heute unendlich stärker ist als vor hundert Jahren, da Schurz sich in die bewußte Doppelrolle des Amerikaners und Deutschen hineinbegab.

Theodor Heuss

Es war für mich immer eine Genugtuung, wenn ich als akademischer Lehrer in den Vereinigten Staaten in einer Zeit, wo alles in der deutschen Geschichte bewußt für Propagandazwecke verzerrt wurde, die besondere Leistung des brandenburg-preußischen Staates betonen konnte.

Heinrich Brüning

Der Beitrag von Deutschamerikanern, die sich für die innere Festigung der amerikanischen Demokratie, für eine gerechte Sozialordnung und fortschrittliche Sozialpolitik eingesetzt haben, ist eindrucksvoll und läßt sich von den Anfängen der amerikanischen Arbeiterbewegung bis in unsere Zeit verfolgen.

I have the feeling that the receptiveness of the American people, now become a nation, is infinitely greater today than it was a hundred years ago, when Schurz took on his conscious double role as American and German.

Theodor Heuss

As an academic teacher in the United States at a time when everything in German history was being deliberately distorted for the purpose of propaganda, I was always pleased to have an opportunity to stress the achievements of the Brandenburg-Prussian state.

Heinrich Brüning

The contribution made by German-Americans, who worked for the internal consolidation of American democracy, for a just social order and progressive social policy, is impressive and can be traced from the beginnings of the American labor movement right up to the present day.

Von diesen haben der in Hessen geborene Robert Wagner und Walter Reuther, Sohn deutscher Emigranten, historische Leistungen vollbracht. Als Wagner sich nach 40jähriger politischer Tätigkeit 1947 aus Gesundheitsgründen aus dem Senat zurückzog, endete mit ihm eine Epoche progressiver sozialer Gesetzgebung, die von ihm maßgeblich mitgeprägt worden war. Wegen seines integeren Charakters und seines aus humanitärer Verantwortung kommenden sozialen Engagements erfreute er sich als Mensch und Politiker gleich hoher Wertschätzung. Sein Sohn, der dreimal zum Bürgermeister von New York gewählt wurde, konnte in manchem das Werk seines Vaters fortsetzen und ebenfalls Verdienste als Sozialpolitiker erwerben.

Walter Reuthers historische Leistung gründet sich darauf, daß er, unterstützt von seinen Brüdern Victor und Roy, die amerikanische Automobilarbeiter-Gewerkschaft dem kommunistischen Einfluß entzog und sie, geeint, zur stärksten Gewerkschaft der USA machte, daß er zukunftsweisende Tarifverträge durchsetzte, für eine amerikanische Hilfe beim Wiederaufbau Europas plädierte.

Horst Überhorst

Of those men, Robert Wagner, born in Hesse, and Walter Reuther, a son of German emigrants, were responsible for historical achievements. Robert Wagner's retirement from the Senate for health reasons in 1947 after forty years of political activity marked the end of an epoch of progressive social legislation on which he had placed his stamp. On account of his integrity and social dedication stemming from a humanitarian sense of responsibility he was highly respected both as a man and a politician. His son, who was thrice elected mayor of New York, was able to continue his father's work in some respects and has earned respect as a social politician.

Walter Reuther's historical achievement lies in the fact that, supported by his brothers Roy and Victor, he freed the American Automobile Workers Union from communist influence and made it, once united, the most powerful union in the USA, and that he achieved acceptance of compass-bearing wage contracts, pleaded for American aid in the reconstruction of Europe.

Horst Überhorst

Benjamin Franklin sandte den deutschen Offizier Friedrich Wilhelm von Steuben 1777 nach Amerika, damit er dort die Ausbildung der Truppen übernehme. Mit Steuben hat Franklin seinem Vaterland geradezu eine Armee geschickt, die den Unabhängigkeitskrieg gegen die Briten gewann.

Was für Steuben galt, scheint ähnlich für den späteren Außenminister Henry Kissinger zu gelten, der 1938 aus Deutschland nach den USA emigrierte. Die Presse nannte ihn den „wichtigsten Import Amerikas in diesem Jahrhundert".

Johannes Kopfheim

In 1777, Benjamin Franklin sent the German officer Friedrich Wilhelm von Steuben to America to undertake the training of the troops. Franklin thus presented his Fatherland with an army which won the War of Independence against the British.

What was true of Steuben seems also to be true of the later Secretary of State, Henry Kissinger, who emigrated from Germany to the USA in 1938. The Press described him as "America's most important import this century".

Johannes Kopfheim

Unter dem weiten Himmel

In dem Waldstaat Vermont, der unsere amerikanische Heimstatt werden sollte, war uns dort vom ersten Tag an heimatlich zumute. Es ist notorisch, daß in Amerika sehr viele Neusiedler die Landschaft suchen oder, wie wir, durch Glücksfall finden, die für sie vertrauten Charakter hat. Dieser Kontinent schließt alle Landschaften der Erde in sich ein. Wo Schwe-

Under the Wide Heaven

In the wooded State of Vermont, which was to be our American home, we felt at ease from the first day. It is well known that many new settlers in America seek out – or, like us, find by a happy accident – a landscape with a familiar character. This continent includes every kind of landscape in the world. Where Swedes and Finns settled, it tends to look like Sweden and

den und Finnländer sich ansiedelten, sieht es gewöhnlich aus wie in Schweden und Finnland. Die „Amish", jene Pennsylvania-Deutschen, die seit dem achtzehnten Jahrhundert dort siedeln und bis heute ihre eigene, auf hessischem Dialekt gegründete Volkssprache erhalten haben, errichteten ihre Bauernhöfe, häufig Fachwerkhäuser, im heimischen Stil – in einer Gegend, die dem Vogelsberg, der Rhön, der oberen Wetterau, dem „Blauen Ländchen" nördlich des Mains erstaunlich ähnelt.

In Vermont sah meine Frau den Wienerwald, ich sah den Taunus oder den Melibokus an der Bergstraße, wir beide sahen die Waldgebirge des Salzburger Alpenvorlandes, nur alles ins Überdimensionale vergrößert: zehnmal Taunus, zwanzigmal Hunsrück, fünfzigmal Odenwald oder Wienerwald, unendlich unter dem weiten Himmel gewellt.

Carl Zuckmayer

Finnland. The Amish, those Pennsylvania-Dutch who have been settled there since the eighteenth century and still speak their own folk language based on the Hessian dialect, built their farmhouses, mostly half-timbered, like the ones at home, and in an area that has striking similarities with the Vogelsberg, the Rhön, the upper Wetterau, and the "little blue country" north of the Main. In Vermont my wife saw the Wiener Wald, I the Taunus or Melibokus from the Bergstrasse; we both saw the wooded mountains of the countryside around Salzburg. But it was all magnified hugely: Taunus 10 times, Hunsrück 20 times, Odenwald or Wiener Wald 50 times, undulating toward infinity under the wide heaven.

Carl Zuckmayer

Sei gegrüßt, Nachkommenschaft! Nachkommenschaft in Germanopolis! Und erfahre zuvörderst aus dem Inhalte der folgenden Seite, daß deine Eltern und Vorfahren Deutschland, das holde Land, das sie geboren und genährt, in freiwilliger Verbannung verlassen haben, um in diesem waldreichen Pennsylvanien, in der öden Einsamkeit, minder sorgenvoll den Rest ihres Lebens in deutscher Weise, das heißt wie Brüder, hinzubringen. Erfahre auch ferner, wie mühselig es war, nach Überschiffung des atlantischen Meeres in diesem Striche Nord-Amerikas den deutschen Namen zu gründen. Und du, geliebte Reihe der Enkel, wo wir ein Muster des Rechten waren, ahme unser Beispiel nach. Wo wir aber, wie reumütig anerkannt wird, von dem so schweren Pfade abgewichen sind, vergib uns, und mögen die Gefahren, die andere liefen, dich vorsichtig machen. Lebe wohl, deutsche Nachkommenschaft! Lebe wohl, deutsches Brudervolk! Lebe wohl auf immer!

Franz Daniel Pastorius

D escendants of Germanopolis, be welcome! And learn first of all from this that your parents and forebears left Germany in voluntary exile, the fair land which bore and nourished them. They hoped that, in lonely exile here in richly wooded Pennsylvania, they would be able to live out their lives with fewer cares in the German manner – that is, like brothers. Know also what great toil it was, having crossed the great Atlantic, to establish the German name in this region of North America. And where we were paragons of excellence, O beloved descendants of our line, follow our example, but where it must be ruefully acknowledged that we swerved from the path, forgive us, and profit from the dangers which others experienced before you. Farewell, German progeny! Farewell, German cousins, farewell for ever!

Franz Daniel Pastorius

Ich kann den Blick nicht von euch wenden;
Ich muß euch anschaun immerdar;
Wie reicht ihr mit geschäft'gen Händen
Dem Schiffer eure Habe dar!

Ihr Männer, die ihr von dem Nacken
Die Körbe langt, mit Brot beschwert,
Das ihr aus deutschem Korn gebacken,
Geröstet habt auf deutschem Herd;

Und ihr, im Schmuck der langen Zöpfe,
Ihr Schwarzwaldmädchen, braun und schlank,
Wie sorgsam stellt ihr Krüg' und Töpfe
Auf der Schaluppe grüne Bank!

Das sind dieselben Töpf' und Krüge,
Oft an der Heimat Born gefüllt!
Wenn am Missouri alles schwiege,
Sie malten euch der Heimat Bild.

Bald zieren sie im fernen Westen
Des leichten Bretterhauses Wand;
Bald reicht sie müden braunen Gästen,
Voll frischen Trunkes, eure Hand.

Der Bootsmann winkt! – Zieht hin in Frieden:
Gott schütz' euch, Mann und Weib und Greis!
Sei Freude eurer Brust beschieden,
Und euren Feldern Reis und Mais!

Ferdinand Freiligrath

How can I take my eyes from you?
I have to watch you constantly,
As your belongings old an new
You hand the skipper busily.

You men who lift with no great pain
The heavy baskets from your backs
With bread you baked from German grain,
Then toasted it on German racks;

And you, adorned with your long braids,
Black Forest maids so tanned an slim:
How carefully the jugs you place
On the sloop's bench with its green trim!

So often from th' old well and pond
You filled these pitchers at your home.
If the Missouri won't respond,
They'll paint the image of th' old home.

Soon in a frame house far out West
They'll grace a wall, back home a link;
Soon to a tanned and tired guest
You'll hand them, filled with a cool drink.

The boatswain beckons! – Go in peace:
God bless you, man and wife and maid!
May in your hearts joy never cease,
And on your fields thrive corn and blade!

Ferdinand Freiligrath

Niemals könnten wir Ihre Dienste vergessen noch die Wohltaten, die die Welt von Ihnen empfangen hat. Nicht nur daß der Name Humboldt in aller Munde ist auf unserem unermeßlichen Kontinent von der Atlantik- bis zur Pazifikküste; darüber hinaus haben wir Ihnen zu Ehren Flüsse und einige Orte unseres Landes benannt. Unsere Nachkommen werden also Ihren Namen neben den Namen von Washington, Jefferson und Franklin finden.

John B. Floyd an Alexander von Humboldt

Heinrich Schliemann, der deutsche Archäologe, lebte ein Jahr lang (1851/52) unter Goldgräbern im kalifornischen Sacramento. Damals wurde Kalifornien den Vereinigten Staaten von Amerika eingegliedert. Schliemann: „Da alle an jenem Tag im Lande Verweilenden ipso facto naturalisierte Amerikaner wurden, so wurde auch ich Bürger der Vereinigten Staaten." Äußerlich betrachtet war das ein Zufall. Von der inneren Struktur seines Lebens her gesehen ebnete ihm die amerikanische Staatsbür-

We will never be able to forget your services to humanity or your good deeds. Not only is the name of Humboldt on every tongue in our huge continent, from Atlantic coast to Pacific; we have also named rivers and several places in our country in your honor. Our descendants will thus find your name next to those of Washington, Jefferson, and Franklin.

John B. Floyd to Alexander von Humboldt

Heinrich Schliemann, the German archeologist, lived for a year (1851/1852) among gold diggers in Sacramento, California. At that time California became annexed to the USA. Schliemann wrote:
"Since everyone who happened to be in the country on that day became ipso facto a naturalized American, I too became a citizen of the United States."
Seen superficially, this was just a matter of chance. In terms of his later life, however, it was

gerschaft später den Weg zu einem der für ihn wichtigsten Männer, zu dem amerikanischen Konsul Frank Calvert in Kleinasien. Ihm gehörte ein Teil des Hügels Hissarlik, unter dem Schliemann Troja entdeckte.

Erdmann Ball

Mich befiel, statt eines freudigen, wie ich erwartet hatte, ein seltsam banges Gefühl beim Anblick der Neuen Welt, die von nun an meine Heimat werden und mir alles ersetzen sollte, was ich Liebes in Europa zurückgelassen. Erst jetzt, erst im Angesichte Amerikas, fühlte ich mich gänzlich vom heimatlichen Boden und für den kleinen Rest meines Lebens von den europäischen Freunden, von allen früheren Gewohnheiten und Beziehungen abgetrennt. Solange ich nur noch Himmel und Wasser erblickt hatte, schien mir die Luft, der Ozean ebensowohl Europa als auch Amerika anzugehören. Jetzt aber gehörten, meinem Gefühle nach, beide ausschließlich Amerika an, und ich hatte Europa für immer verloren!

Amalia Schoppe

quite significant, for American citizenship was to smooth his way to a man who was to have great importance for his career. This man was the American Consul in Asia Minor, Frank Calvert, who owned a part of the hill Hissarlik underneath which Schliemann discovered Troy.

Erdmann Ball

I nstead of being joyful, as I expected, I felt strangely afraid at my first sight of the New World, which from now on was to be my home and replace everything that I had left behind in Europe. Once within sight of America, I became conscious for the first time of being divided for the few remaining years of my life from home soil, from European friends, and from all previous habits and relationships. As long as I had only sky and water about me, the air and the ocean seemed to belong just as much to Europe as to America. But now I feel that both belong to America, and that I have lost Europe for ever.

Amalia Schoppe

Die amerikanische Topographie ist reich an überraschend vertrauten oder auch fremdländischen Städtenamen. Man kann drüben ebenso nach Weimar oder Bamberg reisen wie hierzulande; es gibt sogar Siedlungen, die Humboldt, Luther oder Bismarck heißen. Um in Palermo oder Malaga, Cadiz oder Alexandria anzukommen, bedarf es keiner Schiffsreise; Peru habe ich in zweistündiger Bahnfahrt von Chicago aus erreicht. Nazareths und Bethlehems gibt es gleich zwei, Bethels gleich neun – übrigens ebenso viele Berlins.

Rudolf Hagelstange

Ich genoß die ganze Atmosphäre Bostons, und die allgemeine Physiognomie der Bevölkerung war mir äußerst sympathisch. Ich glaubte in den Gesichtern aller Vorübergehenden in den Straßen das Licht der Intelligenz zu entdecken. Jeder Milchmann auf seinem Wagen, jeder Bürger, der mit seinem Werkzeug unter dem Arm zur Arbeit eilte, machte auf mich den Eindruck, als müsse er ein verkappter Graduierter der Harvard-Universität sein.

Carl Schurz

The American topography is rich in surprisingly familiar town names, and also in foreign ones. One can go to Weimar or Bamberg over there just as one can here; there are even settlements with names like Humboldt, Luther, and Bismarck. It is not necessary to make a voyage to get to Palermo or Malaga, Cadiz or Alexandria. I reached Peru by means of a two-hour train journey from Chicago. There are two Nazareths and two Bethlehems, nine Bethels, and nine Berlins too.

Rudolf Hagelstange

I enjoyed the whole atmosphere of Boston, the general physiognomy of the population were exceedingly congenial to me. I thought I saw a light of intelligence on the faces of all the passers-by on the streets, which impressed me as if every milkman on his wagon and every citizen hurrying to his task with his tools under his arm must be something like a Harvard graduate in disguise.

Carl Schurz

Unsere Landsleute waren fast alle schon bei mir; sahen alle recht gut aus und haben auch schöne Kleider. Es wünscht sich keiner mehr nach Deutschland; denn wenn sie hierherkommen nach St. Louis, sehe ich doch, wie es ihnen geht.

St. Louis liegt auf einer kleinen Anhöhe, dicht am Mississippi. Die Häuser sind alle von Backsteinen gebaut, worunter sind von fünf Stockwerken auch mit rauhen Steinen gebaute. Steine gibt es hier sehr viele und sehr große; sie sind weiß wie die eurigen am Krottenloch.

Man rechnet hier auf 601 000 Einwohner. Dieses Jahr wurden 2600 neue Häuser erbaut, voriges Jahr nur 1800.

Es befinden sich hier 45 Kirchen, 96 Schulen von allen Confessionen, ein Courthaus, eine Universität, ein Seminar, ein Museum, ein Theater, zwei Waisenhäuser, zwei Hospitäler, fünf öffentliche Marktplätze, worauf alle Tage Markt abgehalten wird. Die Straßen laufen alle parallel und werden ebenso von den anderen durchfurcht. Kaufläden sind hier so schöne wie in Frankfurt.

Ein ausgewanderter Dietzenbacher an seine Familie in Hessen

Almost all of my fellow countrymen have been visiting me; they all looked fairly well and wore fine clothes. Nobody yearns for Germany any more, for as soon as they arrive here at St. Louis I notice how they develop.

St. Louis is situated on a little hill close to the Mississippi River. The houses are all made of brick which also include five-storey-houses made of raw stone. There is many a stone and very a big one. They are white like those at the Krottenloch site. The population of St. Louis is estimated 601 000 inhabitants. This year another 2600 new homes have been built, whereas last year it were only 1800.

There are 45 churches in St. Louis, 96 schools of all denominations, a courthouse, 1 university, 1 seminary, 1 museum, 1 theatre, 2 orphanages, 2 hospitals, 5 market-places where there is a daily market-day. All streets run parallel and are cut similarly by others. Here, the shops are as nice as in Frankfurt-on-the-Main.

Excert from a letter of a Dietzenbach immigrant to his family in Hessen

Ich erzählte Lincoln, daß ich einen deutschen Schwager in Washington zu Besuch bei mir habe, Heinrich Meyer, einen jungen Kaufmann aus Hamburg, einen glühenden Bewunderer dieses Landes, der sich glücklich schätzen würde, dem Präsidenten seine Aufwartung machen zu dürfen. Würde der Präsident mir erlauben, ihn auf einen Augenblick mitzubringen? „Natürlich", sagte Lincoln, „bringen Sie ihn morgen um die Frühstückszeit und frühstücken Sie mit mir. Ich denke, Mary [Frau Lincoln] wird etwas für uns zu essen haben."

Am nächsten Tag ging ich mit meinem Schwager ins Weiße Haus. Er war höchst beunruhigt über die bei dieser Gelegenheit zu befolgende Etikette. Ich hatte Mühe, ihn mit der Versicherung zu beruhigen, daß es in diesem Falle überhaupt keine Etikette gäbe. Noch mehr staunte er aber, als Lincoln, ohne auf eine förmliche Verbeugung zu warten, ihm wie einem alten Bekannten die Hand schüttelte und in seiner herzhaften Weise sagte, daß er sich freue, den Schwager „dieses jungen Mannes" kennenzulernen, und daß er hoffe, die Amerikaner behandelten ihn gut.

Es waren keine Gäste zugegen. So hatten wir Lincoln bei Tisch ganz für uns. Er schien ausgezeichneter Stimmung, stellte viele Fragen über

I told Mr. Lincoln that I had a German brother-in-law with me in Washington, Heinrich Meyer, a young merchant from Hamburg, and an ardent friend of this country, who would be proud to pay his respects to the President. Could I bring him for a moment? "Certainly", said Mr. Lincoln, "bring him to-morrow about lunch time and lunch with me. I guess Mary (Mrs. Lincoln) will have something for us to eat."

Accordingly the next day I brought my brother-in-law, who was much troubled about the etiquette to be observed. I found it difficult to quiet him with the assurance that in this case there was no etiquette at all. But he was still more astonished when Mr. Lincoln, instead of waiting for a ceremonious bow, shook him by the hand like an old acquaintance and said in his hearty way that he was glad to see the brother-in-law of "this young man here", and that he hoped the Americans treated him well.

There were no other guests. So we had Mr. Lincoln at the table all to ourselves. He seemed to be in excellent spirits, asked many questions about Hamburg, which my brother-in-law answered in an entertaining manner, and Mr. Lincoln found several occasions for inserting funny stories. As we left the White House, my com-

Hamburg, die mein Schwager in unterhaltender Weise beantwortete, und Lincoln fand verschiedentlich Gelegenheit, seine drolligen Geschichten anzubringen. Als wir das Weiße Haus verließen, konnte mein Begleiter kaum Worte finden, seine staunende Bewunderung auszudrükken über den Mann, der von der untersten Stufe der gesellschaftlichen Leiter zu einer der höchsten Stellungen der Welt emporgestiegen und so vollkommen natürlich geblieben war.

Carl Schurz

Wie immer entführt uns auch dieser Sommer sehr viele Landsleute, die dem alten Europa Lebewohl sagen, um im fernen Westen das Glück und die Freiheit zu suchen, welche die Heimat ihnen nicht gewähren konnte. Regelmäßig jede Woche geht ein Paketschiff von Hamburg nach New York und führt oft Hunderte von Auswanderern der neuen Laufbahn entgegen.

Ottilie Assing

panion could hardly find words to express his puzzled admiration for the man who, having risen from the bottom of the social ladder to one of the most exalted stations in the world, had remained so perfectly natural.

Carl Schurz

As usual, this summer is robbing us of many of our fellow contrymen, who are saying farewell to old Europe and seeking in the far West the freedom and happiness which their homeland could not offer them. Regularly every week a packet boat leaves Hamburg for New York, taking often hundreds of emigrants to their new life.

Ottilie Assing

Aus den Briefen eines Segelschiffsmatrosen an seine Eltern in Deutschland:

Als wir in New York ankamen, war dort ein großes Aufregen, denn vor ein paar Tagen hatten sie Lincoln ermordet [14. April 1865]. Alle Straßen und Häuser waren behangen mit Flor; am anderen Tag hatten wir frei, denn Lincolns Leiche kam durch New York durch. Soviel Menschen sind gewiß noch nie zusammen gewesen wie an diesen Tagen. Von sechzehn Schimmeln wurde der Leichenwagen gezogen, und Tausende von Soldaten folgten mit schöner Musik.

Jeder amerikanische Bürger trägt zur Trauer ein miniaturphotographisches Bildnis mit Flor von Lincoln auf der Brust.

Ich könnte Euch so ungeheuer viel von New York schreiben, doch das Papier ist zu kurz.

Viele Grüße an alle
Euer treuer Paul Mewes

From the letters of one of the crew of a sailing ship to his parents in Germany:
When we arrived in New York there was great excitement there, for Lincoln had been murdered a few days before (14 April 1865). All the streets and houses were hung with crepe. The next day we had a holiday, as Lincoln's body was being brought through New York. Surely there have never been so many people gathered together as on that day! The hearse was drawn by 16 white horses and thousands of soldiers followed with fine music.
For mourning every American citizen wore on his breast a miniature photograph of Lincoln framed with crepe.
I could tell you an awful lot about New York but the paper is too short.

Love to you all
from your devoted son Paul Mewes

Jetzt ist die Zeit und Stunde da,
wir ziehn nach Nordamerika.
Die Wagen stehn schon vor der Tür,
mit Weib und Kindern ziehen wir.

Und allen, die uns sind verwandt,
reichen wir zum letztenmal die Hand.
„Ihr Brüder, weinet nicht so sehr,
wir sehn uns nun und nimmermehr."

Jetzt kommen wir in Bremen an,
da heißt's: „Ihr Brüder, tret' heran!
Wir hoffen auf ein bess'res Glück,
drum wendet euren trüben Blick."

Und als wir kommen nach Baltimor,
da strecken wir die Hände vor
und rufen aus: „Viktoria!
Jetzt sind wir in Amerika!"

Auswandererlied aus dem Odenwald. Von dort
wanderte 1741 Hans Nikolaus Eisenhauer aus,
der Vorfahre des amerikanischen Präsidenten
(1953–1961) Dwight D. Eisenhower.

Now the time has come at last:
We are setting off for North America,
The wagons are already waiting
For us and our wives and little ones.

And to all our relatives and friends
We extend a hand for the last time:
"Don't weep so, brothers, while we're still here;
After this we will never meet again."

And when we arrive in Bremen
It's a cry of "Come along, brothers!
Take a last sorrowful look about you
And let's hope for a better fortune!"

And when we get to Baltimore
We stretch out our hands in joy;
There it's a cry of "Victory!
Here we are in America!"

Song of emigrants from the Odin-Forest. In 1741 Hans Nikolaus Eisenhauer emigrated from the Odin-Forest. He was an ancestor of Dwight D. Eisenhower, who was President of the United States from 1953 to 1961.

Einer wollte den Menschen an der amerikanischen Ostküste und vor allem den fernen Europäern die wildromantischen Szenen des amerikanischen Westens vor Augen stellen, sie ihnen in die Seele, in die Sehnsucht malen. Es war der 1830 in Solingen geborene Albert Bierstadt. Er sog die befreiende Weite amerikanischer Landschaft in sich ein, erlebte die Dramatik der Rocky Mountains, die Einsamkeit der Sierra Nevada, die urwelthaften Regionen der Büffel und Bären. Deutsche Maler entdeckten für ungezählte Bewohner des Kontinents die künstlerische Faszination ihres wilden, ihres wunderbaren Westens.

John Lion

Thomas Nast aus Landau in der Pfalz focht mit spitzem Zeichenstift in den ersten Karikaturenkämpfen Amerikas. Er spießte korrupte Konjunkturritter auf und war befreundet mit den Präsidenten Lincoln, Grant und Theodore Roosevelt. Am populärsten wurde er durch seine politischen Symbolfiguren, den Esel für die Demokraten und den Elefanten für die Republi-

Someone had to portray for the people of the American East, and even more so for the distant Europeans, the wild romantic scenes of the American West – had to paint them into their souls and into their desires. This person was the German artist Albert Bierstadt, who was born in Solingen in 1830. He absorbed the vastness and freedom of the American landscape, experienced the drama of the Rocky Mountains, the loneliness of the Sierra Nevada, the primeval regions inhabited by buffalo and bears. German painters discovered for countless inhabitants of the continent the artistic fascination of their wild and wonderful West.

John Lion

Thomas Nast from Landau in the Palatinate fought in the first caricature campaigns of America, impaling corrupt business people on his pencil point. He was a friend of the presidents Lincoln, Grant, and Theodore Roosevelt, and gained his greatest popularity through his political cartoons, using a donkey to represent the Democrats and an elephant to represent the

kaner. Sie traben noch heute durch die amerikanischen Wahlwochen.

Den Kindern schenkte er die Figur des Santa Claus. Er hatte ihn dem heiligen Nikolaus seiner deutschen Heimat nachgebildet und machte den freundlichen Weihnachtsmann in den USA heimisch.

Nach dem Wahlsieg des Präsidenten Ulysses Grant schrieb Mark Twain an Thomas Nast: „Sie haben mehr als alle anderen einen ungeheuren Sieg für Grant, ja, ich möchte sogar meinen, für die Zivilisation und den Fortschritt gewonnen. Ihre Bilder waren einfach großartig. Wenn einer das Recht hat, den Kopf hoch zu tragen und ehrlich stolz zu sein auf seinen Anteil an den Geschehnissen des vergangenen Jahres, so sind Sie das. Wir alle verehren Sie aus tiefstem Herzen und sind sehr stolz auf Sie." Für die Amerikaner blieb Nast der Vater der amerikanischen politischen Karikatur.

Johannes Kopfheim

Republicans. Even today at election time in America these symbols reemerge.

He gave children the figure of Santa Claus, which he modelled on the St. Nicolaus of his German homeland, and this kindly gentleman soon became at home in the United States.

After the electoral victory of President Ulysses Grant, Mark Twain wrote to Nast: "You have done more than anyone else to gain a huge victory for Grant – and, in my opinion, for civilization and progress too. Your pictures were simply fantastic. If anyone has the right to hold his head high und be really proud of his part in the events of the past year, you are that man. We all respect you from the bottom of our hearts, and are very proud of you." The Americans continued to regard Nast as the father of the American political cartoon.

Johannes Kopfheim

Balduin Möllhausen, „der deutsche Cooper", war ein Forschungsreisender des 19. Jahrhunderts, der über die Prärien, Wüsten und felsigen Gebirge Nordamerikas berichtete. Nach seiner letzten Expedition trat er am 1. September 1858 die Heimfahrt an. Er schrieb:

„Als ich an Bord ging, prangte New York, wie alle übrigen Städte des amerikanischen Kontinents, in seinem schönsten Festkleid. Flaggen schmückten Schiffe und Häuser; Kanonen donnerten von den Bastionen und Verdecken; bunt uniformierte Bürgersoldaten bewegten sich auf der Straße und in den Schenken; Musik ertönte überall, und warm strahlte die Sonne auf das fröhliche Treiben. Es galt, die beiden Depeschen zu verherrlichen, welche Englands Königin Victoria und Amerikas Präsident Buchanan auf unterseeischem Weg mittels des elektrischen Funkens gewechselt hatten. – Es war und blieb ein großer Tag, denn der menschliche Geist feierte einen schönen Triumph."

Der amerikanische Ingenieur Cyrus Field hatte das erste Unterwasserkabel zwischen Amerika und Europa gelegt, und der „deutsche Cooper" erlebte in New York den Tag, als zum ersten Mal Alte und Neue Welt auf diesem Weg einander grüßten.

Max Fahrenbach

Balduin Möllhausen, "the German Cooper", was a nineteenth-century explorer who reported on the prairies, deserts, and rocky mountainous regions of North America. After his last expedition he began the voyage home on 1 September 1858. He wrote:

"As I embarked, New York, like all the other cities of the American continent, was resplendent in its finest attire. Ships and houses were adorned with flags, canons thundered from bastions and decks, brightly uniformed militiamen were abroad on the street and in the taverns, music resounded everywhere, and the sun shone warmly on this scene of cheerful activity. It all served to glorify the telegraph messages which Queen Victoria of England and President Buchanan of America had just exchanged. It was and remained a great day, for the human intellect had scored a grand triumph."

The American engineer Cyrus Field had laid the first undersea cable between America and Europe, and "the German Cooper" was in New York on the day when Old World and New greated one another by this means for the first time.

Max Fahrenbach

Du gehst gern nach Deutschland zurück, aber wenn du ehrlich bist: Du wirst nicht mehr ganz der alte sein, wenn du dort ankommst. Etwas hat sich verändert. Ein Bazillus hat dich beflogen. Du wirst dich immer wieder gelegentlich bei dem Satz ertappen: „Ja, aber in Amerika, wissen Sie . . ."
Immer wieder wird in deine abendlichen Gespräche als Satz einschießen: „In New York damals, wissen Sie . . ." Das wird wie eine Krankheit, eine Infektion der Stadt, ein Bumerang der Erinnerung werden: „Wissen Sie, in Amerika, da ist das so."
Ich glaube, das genau ist es. Man hat die Unschuld Europas verloren, wenn man einmal in New York war. Der Hochmut der Erstgeborenen wurde gebrochen. Das ist eine neue Welt. Mit ihr muß man rechnen.

Horst Krüger

Wer an den Bräuchen eines fremden Volkes etwas auszusetzen findet, der wird flugs einen Wink bekommen, näher vor der eigenen Haustür nachzuschauen, ehe seine Kritik noch sehr weit gediehen ist.

Mark Twain

You're glad to be going back to Germany, but if you're honest, you won't be your old self when you get there. Something has changed: you've caught a germ. You'll repeatedly catch yourself saying, "Yes, but in America, you know . . ." It will become like an infection, a disease, a boomerang action of the memory: "You know, in America it's like such and such." As soon as one goes to New York, one loses the innocence of Europe. The arrogance of the first-born disintegrates. It's a new world, and one has to reckon with it.

Horst Krüger

When one begins to find fault with foreign people's ways, he is very likely to get a reminder to look nearer home, before he gets far with it.

Mark Twain

New York ist eine phantastische Stadt – ich hatte mir etwas ausgemalt wie Getrubel, Durcheinander, Labyrinthisches, ein Babel der tausend Zungen, ein Jahrmarkt der Betriebsgier und der riesenhaften Dimensionen. Und was fand ich: Klarheit, Ordnung, Disziplin, Geschlossenheit des Bildes in dieser wirklich großen modernen Architektur.

Ich halte New York für meine Lieblingsstadt; sie ist der maßlos-bemessenste, wildeste und gleichzeitig bewußteste Ausdruck der Stadtidee und außerdem ihr modernster.

Hans Schiebelhuth

Die Fenster unserer Wohnung gingen auf den mächtigen Hudsonstrom hinaus, man sah den imposanten Bogen der George-Washington-Brücke und gegenüber die schroffen Felsklippen der „Pallisades", die den Fluß wie eine steile Barriere abgrenzen. Ich sah die Fischer in schmalen Ruderbooten ihre Fangnetze spannen – nicht anders, wie man sie wohl ge-

New York is a fantastic city. I had envisaged murk, chaos, confusion, the babble of a thousand tongues, a fairground of commercial greed on a grand scale. And what did I find: clarity, order, discipline, and the compactness of a picture in this really great modern architecture.

I think New York is my favorite city – the most extravagant and the most moderate, the wildest and at the same time the most conscious expression of the city concept, as well as the most modern.

Hans Schiebelhuth

The windows of our flat looked out over the mighty River Hudson: one could see the impressive curve of the George Washington Bridge and, opposite, the ragged cliffs of the Pallisades, which sharply delineate the river. I saw the fishermen spreading their nets from the narrow boats, exactly as they would have done in the days when New York was still New Am-

spannt hatte, als New York noch New-Amster-
dam hieß. Der Hudson wurde mein Rhein,
mein „Old Man River", er besänftigte mein
Herz, wenn sein scharfer Wasserduft nachts
durch die offenen Fenster meines Schlafzim-
mers drang.

Carl Zuckmayer

Weshalb eigentlich wollen die Einheimi-
schen vom Fremden so gern wissen, was
er von ihrem Lande hält? Wie gefällt Ihnen,
Herr Ausländer, Deutschland? Wie gefällt Ihnen unser Amerika? Diese Neugier ist hartnäk-
kig.
Was steckt eigentlich hinter diesem ewigen Wie-
gefallen-wir-Ihnen? Zum Teil natürlich auch
ein fishing for compliments: man will Applaus.
Aber da verbirgt sich auch etwas Besseres: eine
gute Portion kerngesunder Skepsis. Es gibt immer noch genug Menschen, die wollen ihr
Krähwinkel einmal per Distanz sehen – mit den
Augen des Fremden; sie erwarten einen neuen
Aspekt.

Ludwig Marcuse

sterdam. The Hudson became my Rhein, my Old Man River; it soothed my heart when the sharp river air wafted through the open window of my room at night.

Carl Zuckmayer

Why are the natives always so keen for visitors to their country to tell them what they think of it? "Well, Mr. Foreigner, how do you like Germany? How do you like America?" This curiosity is quite refractory.
But what lies behind the eternal "How-do-you-like-us?" Partly, of course, a fishing for compliments: people want applause. But also something better: a good helping of healthy skepticism. There are always people who want to see their small-town existence at one remove – through the eyes of a stranger: they expect to see it in a new light.

Ludwig Marcuse

Kaum etwas tun wir nach längerem, oft schon nach kurzem Aufenthalt im Ausland lieber, als Vergleiche zwischen Menschen und Sitten zu ziehen. Goethe tat es sogar, ohne Amerika besucht zu haben, wie sein Gedicht „Den Vereinigten Staaten" zeigt. Seinem utopischen Traum ist die geschichtliche Realität gefolgt. Wie anders würde er heute denken.

Die Lust am Vergleich verleitet zur vorschnellen Bewertung. Dann baut sie vor das freie Feld des Urteils eine Mauer des Vorurteils. Klischees entstehen, wo Kriterien gesehen werden sollten.

Der amerikanische Philosoph George Santayana sagte: „Die Füße des Menschen müssen fest auf seinem Heimatboden stehen, aber seine Augen sollen die Welt überblicken." Er soll weithin über Grenzen schauen und jenseits des Gewohnten, des Eingewohnten die Menschen dort in ihrem eigenen Wesen erkennen, um sie in ihrem Anderssein verstehen und schätzen zu lernen.

Irmgard Taylor

We love to make comparisons about other peoples and cultures after brief or extended travels abroad. Goethe did this even without having visited America and his poem "To the United States" testifies to this. His utopian dream about America has meanwhile been burdened with historical reality. How differently would he write today!

This favorite pastime of comparing can lead to hasty evaluations. In front of the free field of judgment we tend to erect a wall of prejudice. Clichés are developed where criteria should be viewed.

The American philosopher George Santayana said: "A man's feet must be planted in his country, but his eyes should survey the world." Man must look beyond the familiar and recognize people in other parts of the world according to their customs and standards. He must learn to appreciate them on their own terms.

Irmgard Taylor

Der amerikanische Abschiedsgruß „I'll be back" gefällt mir sehr. Er ist naiv und magisch. Dahinter steht einfach schöne Anhänglichkeit, aber auch die alte Angst der Besiedler Amerikas, daß während ihrer Abwesenheit der Tod das Zurückkommen verhindern könnte.

Katrine von Hutten

Auf Wiedersehen – diesen Abschiedsgruß wählte Longfellow als deutschsprachige Überschrift für sein Gedicht „Until we meet again!" Er schrieb es im April 1881 zur Erinnerung an seinen wenige Tage zuvor gestorbenen Freund J. T. Fields.

Max Fahrenbach

The American farewell greeting "I'll be back" really appeals to me. It is naive and magical. Underlying is a feeling of warm attachment – but also the old fear of the American settlers that while they were away death might intervene to prevent their return.

Katrine von Hutten

Auf Wiedersehen – Longfellow chose this farewell greeting as the German title for his poem "Until we meet again!" He wrote it in April 1881 to the memory of his friend J. T. Fields, who had died a few days before.

Max Fahrenbach

Zum Schlusse aber sprach Reverend Green:
Es sitzen mit euch zu meinen Füßen
zwei weiße Gäste. Wir wollen sie grüßen . . .

Es fiel zunächst ein weiblicher Name.
Ich sah mich um. Da stand eine Dame,
grundgütig lächelnd. Das Wohltun selbst.
Die Sonne fiel ein, und in ihrem Glanz
sah sie aus wie die Schwester vom Heiligen Franz.

Und dann fiel der meine. Da staunten sie
über den Mister aus Germany.
Das war kaum zu glauben: Ja, schaut nur, schaut!
Hat der einen weiten Kirchweg daher!
3000 Meilen allein übers Meer . . .

Und sie nickten mir zu
und lächelten weise
und sagten leise:
God bless You . . .

Rudolf Hagelstange
in dem Gedicht
„Bei den schwarzen Baptisten"

When ending his speech Reverend Green
said: Two white guests are with us,
we'll give them a warm welcome . . .

At first, a female name was announced.
I looked around. And there stood a lady
with a smile in her face
showing all kindness one can think of.
She seemed to be the charity in person.
The bright sunshine coming up
the same moment, surrounded her and made her
look like the sister of St. Francis.

My name was next. What a surprise!
The male guest came from Germany,
had not only 3000 miles to cross the sea
to be with us at church.

And they nodded to me
and smiled full of deep understanding
and whispered: God bless you . . .

Rudolf Hagelstange
in the poem "The black Baptists"

Im allgemeinen weht, wie der junge Mann zu seiner aufrichtigen Freude erfahren hat, eine herrliche Freiheit durch die Städte, Wälder und Prärien dieses Landes, aber im besonderen ist auch hier das eine und andere verboten. Als er sich zum Beispiel in der letzten Nacht, die er vor der Rückreise nach Deutschland in New York verbringt, ein wenig auf dem Dach seines Hotels ergehen will, da darf er es merkwürdigerweise nicht. Man schreibt Dezember, und im Dezember ist das Betreten des Daches nicht erlaubt. Warum nicht? Es ist eben nicht erlaubt. Nach all dem Voraussetzungslosen und Ungebundenen, das ihm während seines Umherschweifens zwischen Detroit und Key West begegnet ist, wird er hier zum ersten Male wieder ein wenig an Europa erinnert, wo einem ja durch Sitte und Gesetz, zählt man es einmal zusammen, mehr verboten als freigestellt ist.

Er denkt an die heimischen Häuser mit Strohdächern, Kinderlieder und Lampions in der Dämmerung, gemächliche Glockenspiele, plätschernde Brunnen, barocke Kirchtürme.

Schließlich: Es war herrlich in Amerika, aber man muß dort geboren sein, sonst hält man es nicht aus.

Manfred Hausmann

In general, as the young man discovered to his sincere delight, a wonderful freedom blows through the cities, forests, and prairies of this land – but occasionally even here one comes across something that one is not allowed to do. For instance, on his last night in New York before leaving for Germany, when he wanted to stroll on the roof of his hotel for a while, he found that this was forbidden. It was December, and in December one is not allowed to set foot on the roof. Why not? One is simply not allowed.

After all the freedom and lack of restraint that he had encountered between Detroit and Key West, here for the first time he was reminded a little of Europe, where counting convention as well as law, more is prohibited than is permitted.

He thought of home with its thatched-roofed houses, children's singing and lanterns in the twilight, the leisurely ringing of bells, fountains playing, barock church towers.

Finally: "It was wonderful in America, but you've got to be born there to be able to stick it."

Manfred Hausmann

Der in Ulm geborene Physiker Albert Einstein wanderte 1933 nach den USA aus und wurde 1940 amerikanischer Bürger. Als „Papst der Physik" war er so prominent wie die größten Künstler der Vereinigten Staaten. Charlie Chaplin sagte zu ihm: „Alle applaudieren Ihnen, weil niemand Sie verstehen kann, und alle applaudieren mir, weil jedermann mich versteht."

Johannes Kopfheim

Der Schriftsteller Erich Maria Remarque [geboren 1898 in Osnabrück] gab 1945 ein Interview, in dem er erklärte: „I am no more German for I do not think German or feel German or talk German." Sogar wenn er träume, träume er von Amerika, und wenn er schwöre, nur auf amerikanisch. Ob nicht Remarque in seinen Träumen doch einmal über die Grenze geht?

Ludwig Marcuse

The physicist Albert Einstein, who was born in Ulm, emigrated to the USA in 1933 and became an American citizen in 1940. As the "Pope of Physics" he was as prominent as the great artists of the United States. Charlie Chaplin said to him: "They all applaud you because nobody can understand you; they all applaud me because everyone understands me."

Johannes Kopfheim

In 1945 the writer Erich Maria Remarque (who was born in Osnabrück in 1898) gave an interview in which he declared: "I am no more German, for I do not think German or feel German or talk German." Even when he dreamed, he said, he dreamed of America, and when he swore he only swore in American. Would not Remarque nevertheless cross the boarders sometimes in his dreams?

Ludwig Marcuse

Bruno Walter emigrierte 1939 in die USA. Er wurde ein gefeierter Dirigent der New York Philharmonic und der Metropolitan Opera und gastierte in amerikanischen Städten von New York bis Los Angeles. Mit seinen Konzerten beeinflußte er das Musikverständnis und die Interpretation vieler amerikanischer Musiker. Seinen Freunden in Amerika und damit den Musikfreunden in aller Welt rief er zu: „Wenn das Streben nach Glück seine Befriedigung in der Musik findet, dann erreicht der Mensch durch dieses Medium das ihm erreichbare Höchstmaß an Lebensfreude."

Johannes Kopfheim

Künftige Generationen von Amerikanern werden mehr Verständnis für das Leben haben und mehr Freude im Gebrauch ihrer Phantasie, weil Thomas Mann unter uns lebte.

Upton Sinclair

Bruno Walter emigrated to the USA in 1939. He became a celebrated conductor of the New York Philharmonic and the Metropolitan Opera, and made guest appearances in American cities from New York to Los Angeles. Through his concerts he influenced the musical appreciation and interpretation of many American musicians. To his friends in America and friends of music all over the world he said: "When the striving for happiness finds its fulfillment in music, man attains the highest level of pleasure that life has to offer."

Johannes Kopfheim

Future generations of Americans will have more understanding of life and derive more pleasure from their imaginations because Thomas Mann lived among us.

Upton Sinclair

Carl Schurz brachte es als bisher einziger deutscher Einwanderer zum Innenminister der USA, Henry Kissinger als bisher einziger zum Außenminister. Er wurde, wie sein Freund Graubard meinte, ein Amerikaner unter Europäern und blieb ein Europäer unter Amerikanern. Als er 1975 in seine Heimatstadt Fürth kam, bezeichnete er selber diesen Besuch als Symbol einer „Erneuerung der Freundschaft zwischen dem amerikanischen und dem deutschen Volk".

Erdmann Ball

Viel ist uns in diesem Land zuteil geworden.
Leb wohl, Amerika.
Du hast mich nie gemocht –
Ich liebe Dich doch.

Alfred Döblin

Carl Schurz was the first German immigrant to become Secretary of the Interior of the USA, Henry Kissinger the first to become Secretary of State. According to his friend Graubard, Kissinger became an American among Europeans and remained a European among Americans. He described his 1975 visit to his hometown, Fürth, as a symbol of "the renewal of friendship between the American and German people."

Erdmann Ball

Much was bestowed upon us in this land. Farewell, America! You never cared for me – I love you all the same.

Alfred Döblin

Hier in Amerika läuft die Zeit mächtig fix, und man muß sich sputen, wenn man mit will. Weißt du, was ein Glück ist? Ein Glück ist, daß die Sonne den Kalender noch so einigermaßen an der Leine hat. Sonst würde uns hier im Land Amerika die Zeit noch ganz anders ausritzen als bei euch in Deutschland.

Jürnjakob Swehn
an seinen Lehrer in Deutschland

Überall in Amerika habe ich Menschen getroffen, mit denen ich bei Gott nichts anzufangen wußte, und die mich begeistern, wenn sie nur den Mund aufmachen; die unteren Bürgerschichten und das Proletariat in diesen Staaten sind einfach fein – nicht menschlich in einem Sinn wie die Italiener menschlich sind, tief und unbewußt durchpreßt von Kultur – sondern menschlich, wie ein Baum bäumig ist, fabelhaft herrlich, mit einer Unbekümmertheit, die schon Größe ist.

Hans Schiebelhuth

Here in America time goes awfully quickly, and one has to get a move on if one doesn't want to be left behind. Do you know what's lucky? That the sun still has the calender more or less on a leash. Otherwise, time would work out quite differently for us in America and for you in Germany.

Jürnjakob Swehn
to his teacher in Germany

Everywhere in America I met people I just couldn't fathom, and who captivated me as soon as they opened their mouths. The lower middle classes and the workers in the United States are simply grand – not human in the sense that the Italians are human, deeply and unconsciously steeped in culture – but human as a tree is tree-like, really marvelous, with a carefreeness that is quite distinguished.

Hans Schiebelhuth

Romantische Szenerie

Thomas Jefferson, der spätere Präsident der Vereinigten Staaten von Amerika (1801 bis 1809) reiste durch das Rheinland im Jahr 1788. Am 9. April schrieb er:

„Die Nachbarschaft dieser Gegend ist uns ein zweites Mutterland gewesen. Von dieser Strekke des Rheins sind jene Scharen von Deutschen aufgebrochen, die – nächst den Nachfahren der Engländer – den größten Anteil an unserem Volke bilden sollten. "

Thomas Jefferson

Romantic Scenery

Thomas Jefferson, the later President of the United States of America (1801–1809) travelled through the Rhineland in the year 1788. On April 9 he wrote:

"The neighbourhood of this place is that which has been to us a second mother country. It is from this part of the Rhine, that those swarms of Germans have gone, who, next to the descendants of the English, form the greatest body of our people."

Thomas Jefferson

Wir kamen an die sogenannte Bergstraße, eine Strecke, die für ihre landschaftliche Schönheit berühmt ist. Unsere Straße führte am Fuß der Odenwaldberge entlang, die sich zu unserer Linken erhoben, gesäumt von Weinbergen, und ihre Höhen mit Wäldern bedeckt, aus denen hier und da die Turmruinen einer alten Burg auftauchten: berühmt aus deutschen Liedern und Geschichten. Zu unserer Rechten breitete sich eine fruchtbare Ebene aus, so weit unser Auge reichte, und ein angedeuteter blauer Höhenzug bezeichnete den Lauf des fernen Rheins. Ganz vergeblich versucht man, die Schönheit dieser Bilder zu beschreiben – die ständige Abwechslung von romantischer Szenerie, die das Auge erfreut und die Phantasie anregt, und glücklicher Überschwang füllt das Herz.

Mit all meinen Leiden und meiner Lähmung hatte ich nie einen größeren Genuß beim Reisen als in diesen lieblichen Landstrichen. Ich weiß nicht, ob es an der eigentümlichen Milde der Jahreszeit liegt oder am allgemeinen Charakter des Klimas – aber ich war niemals empfänglicher für die köstliche Wirkung der Atmosphäre.

Washington Irving

We came by what is called the Berg Strasse, or mountain road, a route famous for its beauty of scenery. Our road lay along the foot of the mountains of the Odenwald, which rose to our left, with vineyards about their skirts, and their summits covered with forests, from which every now and then peeped out the crumbling towers of some old castle, famous in German song and story; to our right spread out a rich plain as far as the eye could reach; with a faint line of blue hills marking the course of the distant Rhine. It is all in vain to attempt to describe the beauty of these scenes – the continual variety of romantic scenery that delights the eye and excites the imagination, and the happy abundance that fills the heart.

With all my ailments and lameness, I never have enjoyed travelling more than through these lovely countries. I do not know whether it is the peculiar fineness of the season, or the general character of the climate, but I never was more sensible to the delicious effect of atmosphere.

Washington Irving

Um zehn Uhr verließen wir Koblenz, und nun erst begann die wahrhaft schöne Szenerie des Rheinstroms. Die Berge, oder vielmehr Hügel, den ersteren Namen verdienen sie kaum, nähern sich einander zu beiden Seiten des Flusses.

Ich brauche Ihnen nichts mehr von den Burgtrümmern, von den am schmalen Ufer sich drängenden Dörfern und Städtchen, von den gut unterhaltenen ebenen Wegen, von den mit Weinbergen bedeckten Hügeln, den herrlichen Windungen dieser großen Pulsader Europas zu erzählen. Denn, um über diesen so viel betretenen und befahrenen oder beschifften Weg etwas Neues und Interessantes sagen zu können, muß man tagelang unter diesen Burgruinen umherschwärmen, die Täler durchstöbern und in die örtlichen Sagen tief eindringen wollen.

James Fenimore Cooper

Ein Deutscher liest eine ganze Literatur, während wir ein Buch lesen. Einer ihrer Schriftsteller hält seinen Landsleuten vor Augen, daß nicht die Völkerschlacht bei Leipzig, sondern der Katalog der Leipziger Messe sie über die Franzosen erhebt.

Ralph Waldo Emerson

We quitted Coblentz at ten, and now began in truth to enter the fine scenery of the Rhine. The mountains, or rather hills, for they scarcely deserve the former name, close upon the river.

I have nothing new to tell you of the ruined castles, the villages and towns that crowd the narrow strand, the even and well-kept roads, the vine-covered hills, and the beautiful sinuosities of this great artery of Europe. To write anything new or interesting of this well beaten path, one must linger days among the ruins, explore the valleys, and dive into the local traditions.

James Fenimore Cooper

A German reads a literature whilst we are reading a book. One of their writers warns his countrymen that it is not the Battle of Leipsic, but the Leipsic Fair Catalogue which raises them above the French.

Ralph Waldo Emerson

Ich kann Dir nicht beschreiben, wie sehr ich von dieser schönen und romantischen Umgebung entzückt bin. Male Dir einige der hübschen Stellen am Hudson aus, verschönert durch alte Städte, Burgen und Klöster und erlebt im vorteilhaftesten Wetter – dann magst Du eine Vorstellung von der Herrlichkeit und Schönheit des Rheins bekommen.

Washington Irving

Irving hat als der erste amerikanische Botschafter für Literatur in der alten Welt nicht nur aus deutschen Quellen geschöpft, sondern hat selbst wiederum jüngere Schriftsteller in Deutschland angeregt. Solche literarischen Wechselbeziehungen waren eine neue Entwicklung, und Irving gab bei diesem Kulturaustausch mindestens so viel, wie er empfing.

Walter A. Reichart

I cannot express to you how much I am delighted with these beautiful and romantic scenes. Fancy some of the finest parts of the Hudson embellished with old towns, castles and convents, and seen under the advantage of the loveliest weather, and you may have some idea of the magnificence and beauty of the Rhine.

Washington Irving

I rving, the first American literary ambassador to the Old World, did not merely borrow from German sources, but himself inspired younger writers in Germany. Such literary interrelations were a new development, and in this cultural exchange Irving gave at least as much as he received.

Walter A. Reichart

Darmstadt ist eine von den Städten, die in so großem Maßstabe angelegt sind, daß sie ein kleines Aussehen bekommen. Dieses ist ein gemeinschaftliches Mißverhältnis der deutschen wie der amerikanischen Städte; denn die Wirkung weitgespreizter Alleen, die man in fünf Minuten durchmessen kann, ist der Kontrast zwischen Wollen und Nichtkönnen. Das Mißverhältnis indessen endet mit dem Ansehen; denn Darmstadt ist geräumig, lüftig und anmutig; auch ist die Bauart sehr gefällig.

James Fenimore Cooper

Die Deutschen gefallen mir sehr; sie sind offene, freundliche und gutmeinende Leute, und ich zweifle nicht daran, daß ich mich bei ihnen wohlfühlen würde, wenn ich näher mit ihnen bekannt werden könnte.

Washington Irving

Darmstadt is one of those towns which are laid out on so large a scale, as to appear mean. This is a common fault, both in Germany and America, for the effect of throwing open wide avenues, that one can walk through in five minutes, is to bring the intention into ludicrous contrast with the result. The disadvantage, however, ends with the appearance, for Darmstadt is spacious, airy and neat. It is also well-built.

James Fenimore Cooper

I am very much pleased with the Germans; they are a frank, kind, well-meaning people, and I make no doubt were I in a place where I could become intimate, I should enjoy myself very much among them.

Washington Irving

Der deutsche Intellekt wünscht sich den französischen Witz, das feine praktische Verstehen des Engländers und das amerikanische Abenteuer; aber ihm eignet eine gewisse Redlichkeit, die sich nie mit einer oberflächlichen Leistung zufriedengibt, sondern dauernd fragt: Wozu? Deutsches Lesepublikum verlangt eine überprüfende Aufrichtigkeit. Es ist aktiv im Mitdenken, aber fragt: Wofür? Was meint der Mann? Weshalb, weshalb all diese Gedanken?

Ralph Waldo Emerson

Wir standen auf einem Balkon, von welchem man einen anmutigen Strich waldiger Gegend und gartenähnlicher Anlagen übersehen kann; da zeigte unser Führer uns ein Dorf von weitem, dessen Kirchturm über eine Waldecke in einem etwas abgelegenen Tal oder vielmehr auf einer Erderhöhung herübersah.
„Können Sie es sehen, mein Herr?"
„Ich sehe es wohl, – nichts weiter als ein abgelegenes Dorf, dessen Umgebung übrigens recht hübsch ist."

The German intellect wants the French sprightliness, the fine practical understanding of the English, and the American adventure; but it has a certain probity, which never rests in a superficial performance, but asks steadily, To what end? A German public asks for a controlling sincerity. Here is activity of thought; but what is it for? What does the man mean? Whence, whence all these thoughts?

Ralph Waldo Emerson

While we were standing at a balcony, that overlooks a very pretty tract of wooded country and garden, the guide pointed to a hamlet, whose church tower was peering above a bit of forest, in a distant valley, or rather swell. "Does Mein Herr see it?"
"I do – it is no more than a sequestered hamlet, that is prettily enough placed."
It was Marbach, the birth-place of Schiller! I do not remember a stronger conviction of the superiority enjoyed by true over factitious greatness,

Es war Marbach, Schillers Geburtsort! Ich erinnere mich nicht, jemals inniger empfunden zu haben, wie weit mächtiger wahre Größe auf das Gemüt einwirkt als bloß eingebildete; dieses bewies der Eindruck, den jene Mitteilung auf mich machte. Das abgelegene Dörfchen erhob sich mit einem Male vor meinem Gemüt mit einer alle Eindrücke und Erinnerungen königlichen Glanzes überwältigenden Wirkung.

Armer Schiller! In meinen Augen steht er da als der deutsche Genius dieser Zeit. Goethe hat von allen Enden jene Beifallsbezeugungen bereitwillig und verschwenderisch gespendet erhalten, die weit öfter durch die Wirkung von Gönnerschaften, glänzender Tees und modischer Zirkel hervorgehen als aus inniger Überzeugung von der wahren Genialität eines Mannes; und Goethe hatte das Glück, einer „heißbrodelnden Celebrität" sich zu erfreuen. Schillers Nachruhm hingegen beruht einzig auf seinem nackten Verdienst.

James Fenimore Cooper

than that which flashed on my mind, when I was told this fact. That sequestered hamlet rose in a moment to an importance that all the appliances and souvenirs of royalty could not give.

Poor Schiller! In my eyes he is the German genius of the age. Goethe has got around him one of those factitious reputations that depend as much on gossip and tea drinking as on a high order of genius, and he is fortunate in possessing a "coddled celebrity", while Schiller's fame rests solely on its naked merits.

James Fenimore Cooper

Die Wanderung durch Thüringen dauerte vierundzwanzig Stunden. Am Ende des Fußmarsches waren seine drei [Adams] Gefährten John Bancroft, James J. Higginson und B. W. Crowninshield, alle aus Boston und Harvardianer wie er, mit dem zufrieden, was sie gesehen hatten, und als sie sich an der Stelle niederließen, wo Goethe geschrieben hatte:

„Warte nur, balde

Ruhest du auch",

berührte die Tiefe dieses Gedankens und die Weisheit dieses Rates sie so stark, daß sie einen Wagen mieteten und noch in derselben Nacht nach Weimar fuhren.

Sie konnten nicht glauben, daß ihre weitere Ausbildung eine Rückkehr nach Berlin erforderte. Ein paar Frühlingstage in Dresden überzeugten sie davon, daß Dresden eine bessere Bildungsstätte war als Berlin und zum Studium des Zivilrechts ebenso gut geeignet. Wahrscheinlich hatten sie recht. Man konnte in Dresden nichts studieren und keinerlei Ausbildung finden, aber die Sixtinische Madonna und die Correggios waren großartig; das Theater und die Oper waren manchmal ausgezeichnet, und die Elbe war schöner als die Spree.

Henry Adams

The tramp in Thüringen lasted four-and-twenty hours. By the end of the first walk, his [Adams'] companions – John Bancroft, James J. Higginson, and B. W. Crowninshield, all Boston and Harvard College like himself – were satisfied with what they had seen, and when they sat down to rest on the spot where Goethe had written:

> "Warte nur, balde
> Ruhest du auch"

the profoundness of the thought and the wisdom of the advice affected them so strongly that they hired a wagon and drove to Weimar the same night.

They could not think that their education required a return to Berlin. A few days at Dresden in the spring weather satisfied them that Dresden was a better spot for general education than Berlin, and equally good for reading Civil Law. They were possibly right. There was nothing to study in Dresden, and no education to be gained, but the Sixtine Madonna and the Correggios were famous; the theatre and opera were sometimes excellent, and the Elbe was prettier than the Spree.

Henry Adams

Nachdem wir einige waldige Höhenzüge durchwandert hatten, gelangten wir wieder an den Neckar. In Tübingen stießen wir dann auf eine Stadt, eine Universität, Überreste von Feudalismus, Redouten, Pfeifen und andere deutsche Requisiten. Hier frühstückten wir und empfingen den Besuch eines jungen Landsmannes, dessen Eltern, ich glaube Deutsche, ihn zur Ausbildung hergeschickt hatten. Wahrscheinlich wird er mit guten Kenntnissen im Griechischen zurückkehren, als vollkommener Meister der Metaphysik und der Pfeife, extravagant in seinen politischen Ansichten, in Religionssachen Skeptiker und mit Ideen wie etwa der Poesie des Denkens, so wie ein Tanzlehrer in Neu-England Ideen von der Poesie der Bewegung besitzt oder ein Kantor von der Kunst der Musik.

James Fenimore Cooper

Einmal hörte ich in Deutschland, wie eine reizende alte Dame zu einer reizenden jungen Amerikanerin sagte: „Unsere beiden Sprachen ähneln sich sehr – wie angenehm das ist; wir sagen ‚Ach Gott‘, und Sie sagen ‚Goddam‘.“

Mark Twain

We met the Neckar again, after crossing a range of wooded mountain, and at Tubingen we once more found a city, a university, the remains of feodality, redoutes, pipes, and other German appliances. Here we breakfasted, and received a visit from a young countryman, whose parents, Germans, I believe, had sent him hither to be educated. He will probably return with a good knowledge of Greek, perfect master of metaphysics and the pipe, extravagant in his political opinions, a sceptic in religion, and with some such ideas of the poetry of thought, as a New England dancing-master has of the poetry of motion, or a teacher of psalmody, of the art of music.

James Fenimore Cooper

I once heard a gentle and lovely old German lady say to a sweet young American girl, "The two languages are so alike – how pleasant that is; we say, 'Ach Gott!' you say, 'Goddam'."

Mark Twain

München ist eine besonders reizende Hauptstadt. Bei einer Bevölkerung von nur ungefähr 50000 Menschen vereinigt es mehr Vorteile als in Städten von dreifacher Größe anzutreffen sind. Eine der hervorragendsten Bibliotheken in Europa, ein prächtiges Theater, eine italienische Oper, ein kleineres Theater, glänzende Gemäldegalerien und königliche Paläste.

Washington Irving

In Deutschland hören die Leute in einer Oper immer etwas, das in Amerika bis jetzt vielleicht noch nie zu hören war – ich meine den letzten Takt eines vortrefflichen Solos oder Duetts. Wir knallen stets mit einem Erdbeben von Beifall mitten hinein. Folglich berauben wir uns des süßesten Teils des Genusses; den Whisky bekommen wir, aber nicht den Zucker unten im Glas.

Mark Twain

Munich is a most charming capital. With a population of only about fifty thousand people, it combines more advantages than are to be met with in cities of three times its size. One of the finest libraries in Europe, a magnificent theatre, an Italian opera, a smaller theatre, splendid galleries of paintings, and princely palaces.

Washington Irving

In Germany they always hear one thing at an opera which has never yet been heard in America, perhaps – I mean the closing strain of a fine solo or duet. We always smash into it with an earthquake of applause. The result is that we rob ourselves of the sweetest part of the treat; we get the whisky, but we don't get the sugar in the bottom of the glass.

Mark Twain

Es mag originellere, gewaltigere Dichter geben, aber keinen reineren. Außerdem ist es ein nationales Moment, das uns Longfellow nahe bringt: Es ist sein herzliches und ausnahmslos freundliches Eingehen auf unsere Literatur, unsere Vergangenheit, unsere Sitte und Art. Nie hätte Coleridge die deutsche Art, den Freund mit einem Kuß zu begrüßen, so sympathisch geschildert, sogar die kirchturmartige Form der Rheinweinflasche humoristisch verherrlicht, wie es Longfellow tat im „Hyperion", dem Buch, welches ganz nur freundlicher Spiegel unseres Landes ist.

P. Brandl

Ich habe die Bekanntschaft eines Dichters gemacht, eines der besten der jungen Dichter Deutschlands. Sein Name ist Freiligrath. Ich fand ihn schreibend in einem sehr freundlichen Zimmer, Blick auf den Rhein.
Stellen Sie sich vor: mit langem, dickem schwarzen Haar und Schnurrbart und Bart, die ineinanderfließen wie die Mosel und der Rhein – das ist Freiligrath!

Henry Wadsworth Longfellow

There may be more original, more powerful poets, but none more pure. There is, besides, a national factor that makes Longfellow dear to us: his cordial and without exception friendly entering into our literature, our past, our customs and character. Coleridge would never have depicted with so much empathy our German custom of greeting a friend with a kiss; much less would he have gloriefied so humorously the spire-like form of the Rhine wine bottle as Longfellow has done in his "Hyperion", the book which is, in its entirety, nothing but a friendly mirror of our country.

P. Brandl

I made the acquaintance of a poet, – one of the best of the young poets of Germany. His name is Freiligrath. I found him writing in a very pleasant room overlooking the Rhine.
Imagine: with long, thick, black hair, and a moustache and beard flowing into each other like the Mosel and the Rhine – and behold Ferdinand Freiligrath!

Henry Wadsworth Longfellow

Mein Vaterland ist mir teuer, doch teurer die Freiheit und am teuersten von allem die Wahrheit.

Franz Lieber

Ich glaubte es dem deutschen Volk schuldig zu sein, ihm die schönen und herrlichen Dichtungen Longfellows, eines der größten amerikanischen Dichter, der viele Jahre auf dem Kontinent und in Deutschland gelebt und den deutschen Geist in sich aufgenommen hatte, zugänglich zu machen.
Longfellow reiste 1826 bis 1829 in Europa und studierte in Göttingen. Im Jahr 1831 fuhr er wieder nach Europa und lebte längere Zeit in Deutschland. 1842 weilte er bei dem deutschen Dichter Freiligrath. Um 1870 hielt er sich zum letzten Mal in Deutschland auf. Longfellow ist einer der bedeutendsten nordamerikanischen Dichter und der würdigste Vertreter der deutschen Schule.

Hermann Simon

My homeland is dear to me, liberty even dearer, and truth dearest of all.

Franz Lieber

I thought I owed it to the German people to make available to them the lovely poems of Longfellow, one of the greatest of American poets, who lived for many years on the Continent and in Germany and absorbed something of the German spirit.
Between 1826 and 1829, Longfellow traveled in Europe and studied in Göttingen. In 1831 he went to Europe again and lived for some time in Germany. Ten years later he stayed with the German poet Freiligrath. About 1870 he visited Germany for the last time. Longfellow is one of the most important northamerican poets and one of the most worthy representatives of the German school in America.

Hermann Simon

Vogelweid dem Minnesänger,
   Als er schied von dieser Welt,
Unter Würzburgs Münstertürmen
   Ward ein Klostergrab bestellt.

Würzburgs Mönchen er vermachte
   Alle Schätze und befahl:
„Gebt an meinem Grab den Vögeln
   Stets ein reichlich Mittagsmahl."

Sprach: „Von diesen Wandersängern
   Hab' gelernt ich den Gesang,
Will die Lehren nun bezahlen
   Mir gewährt so gut, so lang."

Und noch immer um das Münster, –
   Tausend Echos hallen's weit, –
Singt der Vögel Lied die Sage,
   Preist den Namen Vogelweid.

Henry W. Longfellow
in dem Gedicht
„Walther von der Vogelweide"

Vogelweid the Minnesinger,
 When he left this world of ours,
Laid his body in the cloister,
 Under Würtzburg's minster towers.

And he gave the monks his treasures,
 Gave them all with this behest:
They should feed the birds at noontide
 Daily on his place of rest;

Saying, "From these wandering minstrels
 I have learned the art of song;
Let me now repay the lessons
 They have taught so well and long."

And around the vast cathedral,
 By sweet echoes multiplied,
Still the birds repeat the legend,
 And the name of Vogelweid.

Henry W. Longfellow
in the poem
"Walther von der Vogelweid"

Welchen Charme Heines „Buch der Lieder"
ausströmt! Hier [in Amerika] würden sie
von den meisten als lächerlich angesehen werden. Aber in Wahrheit muß gesagt und nieder-
geschrieben werden – dies ist ein schreckliches
Land als Wohnsitz für einen Dichter.
Es gibt hier viele poetische Seelen und Liebha-
ber des Gesangs; aber das Leben, seine Art und
seine Zwecke sind hierzulande im höchsten
Grade prosaisch.

Henry Wadsworth Longfellow

Seit meine Aufmerksamkeit auf den Portier
gelenkt wurde, habe ich Gelegenheit gehabt,
ihn in den führenden Städten Deutschlands, der
Schweiz und Italiens zu beobachten. Je vertrau-
ter er mir wurde, desto dringender wünschte
ich, er würde nach Amerika übernommen und
auch dort das werden, was er in Europa ist: des
Fremden Schutzengel.

Mark Twain

What a charm there is about Heines "Buch der Lieder"! Ah, here they would be held by most people as ridiculous. In truth it must be spoken and recorded – this is a dreadful country for a poet to live in.
Many poetic souls there are here, and many lovers of song; but life and its ways and ends are prosaic in this country to the last degree.

Henry Wadsworth Longfellow

Since I first began to study the portier, I have had opportunities to observe him in the chief cities of Germany, Switzerland, and Italy; and the more I have seen of him the more I wished that he might be adopted in America, and become there, as he is in Europe, the stranger's guardian angel.

Mark Twain

In der Pegnitz schönem Tale,
  Wo auf weiter Wiesenau
Frankens blaue Berge ragen,
  Liegst du, Nürnberg! altersgrau.

Hier – als noch die Kunst war heilig,
  Er, der Kunst Evangelist,
Albrecht Dürer lebt' und malte
  Schlichten Sinn's, ein guter Christ.

Durch die Straßen, breit und stattlich,
  Durch die düst'ren Gäßchen hin
Sah man einst die Meistersinger,
  Schlichte Weisen singend, zieh'n.

Hier Hans Sachs, der Schuster-Sänger,
  Kunstgekrönt in Sangespracht,
Der zwölf Weisen Meister in mächt'gen
  Büchern sang und hat gelacht.

Deine Ratsherr'n, deine Kaiser
  Brachten dir nicht deinen Ruf, –
Nein, Hans Sachs der Schuster-Sänger,
  Und was Albrecht Dürer schuf.

Träumend, ferner Lande Wand'rer
  Sang, o Nürnberg! dir dies Lied
Als durch deine Höf' und Straßen
  Langsam wandelte sein Schritt.

Henry W. Longfellow, „Nürnberg"

In the valley of the Pegnitz, where across
   broad meadow-lands
Rise the blue Franconian mountains,
   Nuremberg, the ancient, stands.

Here, when art was still religion, with a
   simple, reverent heart,
Lived and labored Albrecht Dürer,
   the Evangelist of Art;

Through these streets so broad and stately,
   these obscure and dismal lanes,
Walked of yore the Mastersingers, chanting
   rude poetic strains.

Here Hans Sachs, the cobbler-poet, laureate
   of the gentle craft,
Wisest of the Twelve Wise Masters,
   in huge folios sang and laughed.

Not thy Councils, not thy Kaisers, win for
   thee the world's regard;
But thy painter, Albrecht Dürer,
   and Hans Sachs thy cobbler bard.

Thus, o Nuremberg, a wanderer from a
   region far away,
As he paced thy streets and court-yards,
   sang in thought his careless lay.

Henry W. Longfellow, "Nuremberg"

Der spätere Präsident Theodore Roosevelt kam vierzehnjährig zum zweitenmal nach Europa und lebte ein halbes Jahr bei einer deutschen Familie in Dresden. Er berichtet darüber in seiner Autobiographie: Ich lernte hier, praktisch gegen meinen Willen, eine Menge Deutsch, und besonders das Nibelungenlied zog mich in seinen Bann. Deutsche Prosa war mir niemals so leicht zugängig wie die französische, aber die deutsche Dichtung lag mir so nahe wie die englische. Vor allem aber gewann ich einen Eindruck vom deutschen Volk, den ich nie wieder verlor. Damals wie heute wäre es mir nie in den Sinn gekommen, die Deutschen nur als Fremde zu empfinden.

Theodore Roosevelt

Seit dem 18. Jahrhundert hatte die Kultur der Deutschen in Europa an erster Stelle gestanden. Goethe hatte in höchster Form einen Weltgeist verkörpert, der keine nationalen, politischen, rassischen oder religiösen Grenzen kannte, der ein Erbe der ganzen Menschheit

At the age of fourteen the later President Theodore Roosevelt visited Europe for the second time and lived for half a year in a German family at Dresden. In his autobiography he reports: "I learned a good deal of German here, in spite of myself, and above all I became fascinated with the Nibelungenlied. German prose never became really easy to me in the sense that French prose did, but for German poetry, I cared as much as for English poetry. Above all, I gained an impression of the German people which I never got over. From that time to this it would have been quite impossible to make me feel that the Germans were really foreigners."

Theodore Roosevelt

Culturally, from the eighteenth century on, the German was the first citizen of Europe. In Goethe there was made sublimely articulate a world spirit which knew no boundary lines of nationality, politics, race, or religion, which rejoiced in the inheritance of all mankind, and

war, einen Weltgeist, der aus diesem Erbe keine Herrschafts- oder Eroberungsansprüche herleitete, sondern nur daran teilhaben und dazu beisteuern wollte. In Kunst, Literatur, Musik, Naturwissenschaft und Philosophie war bis zum Jahre 1933 eine kontinuierliche Linie dieses deutschen Geistes zu erkennen gewesen.

Man konnte nicht an dem vollen Schaufenster einer Buchhandlung vorbeigehen, ohne darin auf den ersten Blick die leidenschaftliche Anteilnahme des deutschen Volkes am intellektuellen und kulturellen Leben widergespiegelt zu finden. Der Bestand einer deutschen Buchhandlung verriet eine Weite des Blicks und der Interessen. Die besten Schriftsteller jedes Landes waren in Deutschland genauso bekannt wie in ihrem eigenen Land. Von den Amerikanern hatten besonders Theodore Dreiser, Sinclair Lewis, Upton Sinclair und Jack London viele Anhänger; ihre Bücher wurden überall gekauft und gelesen, und die Werke der jüngeren amerikanischen Schriftsteller wurden eifrig verfolgt und publiziert.

Thomas Wolfe

which wanted no domination or conquest of that inheritance save that of participating in it and contributing to it. This German spirit in art, literature, music, science, and philosophy continued in an unbroken line right down to 1933. For example, one could not pass the crowded window of a bookshop in any town without instantly observing in it a reflection of the intellectual and cultural enthusiasm of the German people. The contents of the shop revealed in a breadth of vision and of interest. The best writers of every country were as well known in Germany as in their own land. Among the Americans, Theodore Dreiser, Sinclair Lewis, Upton Sinclair, and Jack London had particularly large followings; their books were sold and read everywhere. And the work of America's younger writers was eagerly sought out and published.

Thomas Wolfe

Ich habe in Deutschland die Erfahrung gemacht, daß ein Abend mit Bauern- oder Arbeitergruppen, mit Redakteuren und Publizisten, mit Männern und Frauen von den Universitäten, mit Leitern der Frauen- oder Jugendorganisationen weit mehr einbrachte und wesentlich interessanter war als die Teilnahme an irgend einem diplomatischen Empfang.

John J. McCloy

Dein Geburtstagsbuch ist herrlich und enthält ein paar der prachtvollsten Köpfe, die ich kenne. Das ist das Deutschland, das ich liebe und an das ich glaube – das große Deutschland des Geistes, des Herzens und der Seele. Es ist sehr lieb von Dir, daß Du sagst, mein Kopf gehöre dazu. Ich wäre nur zu stolz, wenn es so wäre.

Thomas Wolfe an Thea Voelcker

It was my experience that an evening of discussion with farmer or labor groups in Germany, with the editors and publishers, with university men and women, with heads of women's or youth organizations was far more useful and interesting than attendance at any diplomatic reception.

John J. McCloy

Your birthday book is wonderful. It has in it some of the most magnificent heads I've ever seen. This is the Germany I love and believe in – the great Germany of the mind and heart and spirit. You are very good to say that my head belongs with these. I should be only too proud if it were true.

Thomas Wolfe to Thea Voelcker

Soldaten zu drillen, ist seit undenklichen Zeiten eine Lieblingsbeschäftigung der deutschen Herrscher gewesen. Sie bietet ihnen eine entzückende Unterhaltung, wie den Einwohnern der Manhattan-Insel das immerwährende Plaudern über Dollars eine unerschöpfliche Quelle von Lust gewährt.

James Fenimore Cooper

Spuren aus Geschichte und Alltag führen in New York wie in Frankfurt zur Doppelfrage: Wieviel Deutsches ist in Amerika, wieviel Amerikanisches in Deutschland? Frankfurt, oft mit Manhattan verglichen, nennt der Volkswitz „Mainhattan".

Erdmann Ball

Drilling troops, from time immemorial, has been a royal occupation in Germany. It is, like a Manhattanese talking of dollars, a source of endless enjoyment.

James Fenimore Cooper

In Frankfurt as in New York, both relics of the past and everyday experience prompt the two-sided question: How much of Germany is there in America, how much of America in Germany? Frankfurt is often compared to Manhattan, and popular humor refers to it as "Mainhattan".

Erdmann Ball

Brücken bauen

Franz Daniel Pastorius und die dreizehn Krefelder Mennoniten-Familien, die Deutschland im Jahre 1683 verließen, siedelten in einem Land, in dem religiöse Toleranz durch William Penn verbürgt worden war. Die ihnen folgenden Millionen Deutscher wählten die Vereinigten Staaten im Vertrauen auf deren freiheitliche Verfassung. Zugleich waren die Auswanderer Brückenbauer. Sie haben Verbindungen aufrechterhalten in guten und in schlechten Zeiten.

Karl Carstens

Building Bridges

Franz Daniel Pastorius and the thirteen Mennonite families from Krefeld who left Germany in 1683 settled in a country where religious tolerance had been guaranteed by William Penn. The millions of Germans who followed them opted for the United States, trusting in its liberal Constitution. At the same time, these emigrants built bridges in that they maintained links in good and bad times alike.

Karl Carstens

Als amerikanischer Gesandter in Berlin von 1867 bis 1874 bildete George Bancroft die lebendige Vermittlung zwischen deutscher und amerikanischer Wissenschaft.
In dem Neunzigjährigen verehrt nach dem Tode Rankes die gebildete Welt beider Hemisphären den Nestor der Geschichtsschreiber.

P. Weiland

Kann ich in deiner Sprache sprechen, kannst du mich in meiner Sprache verstehen, nichts in der Welt sollte uns hindern, einander begreifen zu lernen und uns vielleicht sogar von Freundschaft umgreifen zu lassen. Denn das Wort ist die beste Brücke zwischen unseren beiden Völkern.
Aus diesem Geist schuf der Württemberger Maximilian Berlitz seit 1878 seine Sprachschulen in Providence, Boston, New York, Washington, Milwaukee und anderen Städten Amerikas. Heute stehen sie auch allenthalben in Deutschland: Pflanzstätten des Gesprächs, das Grenzen und Ozeane überwindet.

Max Fahrenbach

As the American Minister to Berlin from 1867 to 1874 George Bancroft was the living mediator between German and American science.
After Ranke's death, men of letters of both hemispheres have honored in the nonogenarian the Nestor of historiographers.

P. Weiland

If I can speak your language, if you can understand me when I speak mine, nothing in the world ought to prevent us from learning to know one another and perhaps even from forming a friendship. For words are the best bridge between our two people.
It was in this spirit that Maximilian Berlitz from Württemberg founded his language schools in Providence, Boston, New York, Washington, Milwaukee, and other American cities, beginning in 1878. Today they are also to be found all over Germany: seedbeds of conversation, which transcends frontiers and oceans.

Max Fahrenbach

Deutsch war noch nie an der Harvard-Universität gelehrt worden; und es war 1826 sehr schwierig, eine Freiwilligengruppe von acht Hörern zu finden, die den Wunsch hatten oder auch nur gewillt waren, von seinem [Dr. Karl Follens] Angebot Gebrauch zu machen. Ich war einer davon. Wir wurden durchaus mit jenem Erstaunen betrachtet, mit dem man heute auf eine Klasse sieht, die einen obskuren Stammesdialekt des fernsten Ostens studiert. Wir kannten nicht mehr als zwei oder drei in Neu-England, die deutsch lesen konnten, obgleich es wahrscheinlich viel mehr gab, von denen wir nur nichts wußten. In den Bücherläden gab es keine deutschen Bücher. Ein Freund schenkte mir ein Exemplar von Schillers „Wallenstein", den ich las, sobald ich dazu imstande war. Dann gab ich ihn reihum weiter an diejenigen, die keine andere Lektüre bekommen konnten.

Das „Deutsche Lesebuch für Anfänger", von unserem Lehrer zusammengestellt, wurde der Klasse je nach Bedarf in einzelnen Blättern zugestellt.

[Follens Lesebuch, ergänzt durch eine Grammatik, blieb über vierzig Jahre lang an vielen amerikanischen Schulen und Hochschulen das Unterrichtswerk für Deutsch.]

Andrew P. Peabody

Harvard Reminiscences. German had never been taught in college before; and it was 1826 with no little difficulty that a volunteer class of eight was found, desirous or at least willing, to avail themselves of his [Dr. Charles Follen's] services. I was one of that class. We were looked upon with very much the amazement with which a class in some obscure tribal dialect of the remotest Orient would be now regarded. We knew of but two or three persons in New England who could read German though there were probably many more, of whom we did not know. There were no German books in the bookstores. A friend gave me a copy of Schiller's "Wallenstein", which I read as soon as I was able to do so, and then passed it from hand to hand among those who could obtain nothing else to read.

The "German Reader for Beginners", compiled by our teacher, was furnished to the class in single sheets as it was needed.

[For more than forty years, Follen's reader, supplemented by a grammar book, served many American schools and colleges as the means for the teaching of German.]

Andrew P. Peabody

Der Antrieb zu meinem Studium in Deutschland kam von Amerika – wofür Amerika Dank verdient. Doch dies Abenteuer mißlang, und das hing in meinem Fall mit seiner Veranlassung zusammen. Ich stak zu tief in meinen amerikanischen Assoziationen und konnte daher weder selbst in dem deutschen Schauspiel aufgehen, noch wirklich deutsch lernen, noch auch einen kräftigen deutschen „geistigen" Strom in meinen eigenen Kanal leiten. In meinem Deutschland war – und ist noch – zu viel von mir, zu wenig von Deutschland.

Zehn bis zwanzig Jahre später besuchte ich Deutschland verschiedene Male in den Ferien. Zum Teil geschah es aus Reue über meine jugendliche Verschwendung guter Gelegenheiten, doch allein aus diesem Grund wäre ich kaum hingefahren. Den letzten dieser Besuche bezeichnete ich als Goethe-Wallfahrt, denn ich fuhr eigens nach Frankfurt und Weimar, um das Haus zu sehen, in dem Goethe seine Kindheit verbracht, und das, in dem er als alter Mann gelebt hatte.

George Santayana

The impulse that sent me to study in Germany came from America – something for which America is to be thanked; yet the failure of that adventure in my case was connected with its origin. I was too much enveloped in my American associations to lose myself in the German scene, to learn German properly, and to turn a copious German "spiritual" stream into my private channel. In my Germany there was, and there still is, too much of me and too little of Germany.

From ten to twenty years later I made several holiday visits to Germany. They were in part acts of contrition for my youthful waste of opportunities, yet I should hardly have made them simply with that idea. The last of these visits I called a Goethe pilgrimage, because I went expressly to Frankfort and to Weimar to visit the home of Goethe's childhood and that of his old age.

George Santayana

Deutschlands Sprache unterscheidet sich so sonderlich von allen Fremdsprachen, die wir zu studieren gewohnt sind, und ihre klassischen Autoren sind alle so neuen Datums, daß Deutschland in unserem Bildungssystem nicht vorkommt. Auch redeten wir nicht von oder dachten wir nicht an seine Geschichte oder gegenwärtige Lage, bevor Madame de Staëls Buch [Über Deutschland] bei uns auftauchte. Doch finde ich die deutsche Literatur sehr interessant. Sie besitzt alle Frische und Treue der Poesie einer Frühzeit, in der Wörter konkrete Dinge und unkomplizierte Gefühle wiedergeben und nicht Abstraktionen und Verallgemeinerungen. Da sie jedoch so spät entstanden ist, zeigt sie genügend moderne Verfeinerung und Regelmäßigkeit.

Aber niemand vertieft sich sehr in das Gesamtwerk der deutschen Literatur – vor allem kommt keiner in ihr Land und sieht ihre Gelehrten und Professoren, ohne zu spüren, wie hier eine Begeisterung waltet, die sie in vierzig Jahren so weit gebracht hat wie andere Nationen in dreihundert Jahren fortgeschritten sind, und die sie noch viel weiter tragen wird. Dies wird ihrem Lande einst ein Ausmaß und eine Bedeutung an Gelehrsamkeit verschaffen, wie sie bisher auf der Welt beispiellos waren.

On Germany. Its language is so strangely different from all the foreign dialects we have been accustomed to learn, and their classical authors are all so recent, that it does not enter into our system of education nor, until Madame de Staël's book [De l'Allemagne] came among us, was its history or condition talked about or thought of. Yet I find it a very interesting literature. It has all the freshness and faithfulness of poetry, of the early ages, while words are the representatives of sensible objects and simple feelings, rather than of abstractions and generalities, and yet being written so late has enough of modern refinement and regularity.

But no man can go far into the body of German literature – above all no man can come into their country and see their men of letters and professors, without feeling that there is an enthusiasm among them, which has brought them forward in forty years as far as other nations have been three centuries in advancing and which will yet carry them much farther. This will finally give their country an extent and amount of learning of which the world has before had no example. I am exceedingly anxious to have this spirit of pursuing all literary studies philosophically – of making scholarship as little of drudgery and mechanism as possible transplanted into the

Mir liegt außerordentlich viel daran, diesen Geist [der deutschen Gelehrten], der alle literarischen Studien philosophisch verfolgt – der Gelehrtheit so wenig wie möglich zu Plage und Mechanik werden läßt – in die Vereinigten Staaten zu verpflanzen: in ihrem freien und liberalen Boden würde er, glaube ich, sofort die passende Nahrung finden.

George Ticknor an Thomas Jefferson

Die Naturwissenschaft in England ist zum größten Teil ihrer Verbindung mit der Moral untreu geworden. In ihr ist so wenig Phantasie und freies Spiel der Gedanken wie in der Ausfertigung von Abtretungsurkunden. Sie steht im krassen Gegensatz zum Genius der Deutschen, jener Halbgriechen, die Analogie lieben und, weil sie auf hoher Warte stehen, ihre Begeisterung bewahren und für ganz Europa denken.

Ralph Waldo Emerson

United States, in whose free and liberal soil I think it would, at once, find congenial nourishment.

George Ticknor to Thomas Jefferson

For the most part the natural science in England is out of its loyal alliance with morals, and is as void of imagination and free play of thought as conveyancing. It stands in strong contrast with the genius of the Germans, those semi-Greeks, who love analogy, and, by means of their height of view, preserve their enthusiasm and think for Europe.

Ralph Waldo Emerson

Der Tischler und Instrumentenbauer Heinrich Engelhard Steinweg hatte in Seesen am Harz schon 482 Flügel, Klaviere und Zupfinstrumente gebaut, ehe er 1850 nach Amerika auswanderte. Drei Jahre später gründete er mit seinen Söhnen Karl, Heinrich und Wilhelm die Firma Steinway & Sons in New York. Der Name Steinway wurde zum Magnetwort für alle Pianisten.

Mochte der Kritiker Herbert Kupferberg auch spötteln: „Zu allen Zeiten war es nicht das Instrument, das zählte, sondern der Hocker davor und wer darauf Platz nahm", so setzten sich doch Eliten von Pianisten an die Steinway-Flügel. 1872 lieferte die Firma ihr 25000. Piano an den russischen Zarenhof und 1883 das 50000. an Baron Rothschild in Wien. 1938, damals war Franklin D. Roosevelt Präsident der USA, lieferten die Steinways einen Prunkflügel für das Weiße Haus – ihr 300000. Instrument.

Niemand kann ermessen, wieviel Klänge von den Saiten der Steinway-Flügel schwangen, wieviel Menschen sie diesseits und jenseits des Ozeans erreichten. Wir wissen nur: sie trugen die Botschaft der Musik weithin über die Grenzen der Länder.

Carl Heinz Ibe

The joiner and instrument-maker Heinrich Engelhard Steinweg had already built 482 pianos and other keyboard instruments before he emigrated to America in 1850. Three years later, together with his sons Karl, Heinrich, and Wilhelm, he founded the firm of Steinway and Sons in New York. The name Steinway became a magnetic word for all pianists.

Although the critic Herbert Kupferberg once mockingly said, "It has never been the instrument that counted, but the stool in front of it and whoever sat down there," nevertheless the elite among pianists choose to seat themselves at Steinway pianos. In 1872 the firm delivered her twenty-fife-thousandth piano to the court of the Russian Tzar, and in 1883 the fifty-thousandth to Baron Rothschild in Vienna. In 1938, when Franklin D. Roosevelt was president of the USA, the Steinways delivered a splendid grand piano to the White House – their three-hundred-thousandth instrument.

No one can say how many chords have been struck upon Steinway pianos, or how many ears they may have reached on this side of the ocean or the other. We know only that they have borne the message of music far beyond the frontiers of many countries.

Carl Heinz Ibe

Walter Gropius (1882–1969) war der Architekt, der 1919 in Weimar das Bauhaus gründete und leitete. Das war die berühmte epochemachende Schule für Gestaltung in Deutschland, die in den zwanziger Jahren modernes Gestalten in Malerei, Bildhauerei, Möbeln und Architektur mitbegründen half. Später wurde Gropius Leiter der Architekturabteilung an der Harvard-Universität und blieb es fünfzehn Jahre lang. Auch war er Mitbegründer einer der hervorragendsten Architektenfirmen, der Architects Collaborative in Cambridge/Massachusetts.

Gropius war einer der Giganten unseres Jahrhunderts. Und doch haben die Ideen, die ihn dazu machten, seit seinem Tode schnell an Beliebtheit verloren. Jetzt bietet uns seine Jahrhundertfeier Gelegenheit, die Gültigkeit dessen, wofür er stand, wieder ins Gedächtnis zu rufen.

Sein eigenes Haus in Lincoln, das er mit seinem Bauhausschüler Marcel Breuer entwarf, ist ein Juwel, das eines Tages der Öffentlichkeit zugänglich sein wird. Es gehört jetzt der Gesellschaft zur Erhaltung von Antiquitäten Neu-Englands.

In den vierziger Jahren zog Gropius eine ganze Generation amerikanischer Architekten nach

Walter Gropius (1883–1969) was the architect who started (1919) and led the Bauhaus in Weimar, the famous, revolutionary school for designers in Germany which, during the 1920s, helped invent the world of modern design in painting, sculpture, furniture and architecture. Gropius went on, after that, to head the department of architecture at Harvard for 15 years and to co-found one of the world's most prominent architecture firms, the Architects Collaborative in Cambridge.

Gropius was a giant of this century. Yet the ideas that made him one have become rapidly less fashionable since his death. The centennial offers a chance to remind ourselves of the validity of what he stood for.

His own house in Lincoln, designed with former Bauhaus pupil Marcel Breuer, is a gem that will eventually be open to the public under the ownership of the Society for the Preservation of New England Antiquities.

At Harvard, in the 1940s, Gropius attracted and trained a virtual generation of American archi-

Harvard und bildete sie aus, unter ihnen I. M. Pei, Philip Johnson, Paul Rudolph, Edward Larrabee Barnes und Ulrich Franzen.

Robert Campbell

Historische Motive auf Briefmarken erinnern oft an die gemeinsame Geschichte zweier Völker. Wie eine Brücke aus der Vergangenheit erreichen sie Menschen der Gegenwart, diesseits und jenseits der Grenzen. So verbinden sie alte und neue Freunde.
Ein besonderes Motiv entwarf der amerikanische Grafiker Richard Schlecht aus Washington: einen Prototyp damaliger Auswandererschiffe, wie es auch die „Concord" war, mit der 1683 dreizehn Krefelder Familien als erste deutsche Auswanderergruppe nach Amerika kamen. Die in den USA wie in der Bundesrepublik Deutschland zum 300jährigen Jubiläum motivgleich erschienenen Briefmarken sind Gedenkgrüße beider Völker aneinander.

Hans-Jürgen Corduan

tects, including I. M. Pei, Philip Johnson, Paul Rudolph, Edward Larrabee Barnes and Ulrich Franzen, to name only a few.

Robert Campbell

Historical motifs on stamps often point to the common history of two peoples. They reach the people of the present day on both sides of the borders just as bridges extending from the past. This way they unite old and new friends. A special motif was designed by the American artist Richard Schlecht from Washington: a prototype of the emigration ships of that time, one of which was the "Concord"; in 1683 it carried the first group of German emigrants, thirteen families from Krefeld, to America. The stamps that the United States of America and the Federal Republic of Germany issued with the same motif on the occasion of the 300th anniversary are commemorative greetings of the two peoples to one another.

Hans-Jürgen Corduan

Wer kennt noch die großen deutschen Brückenbauer im Amerika des 19. Jahrhunderts: den Ludwig Wernweg aus Reutlingen, den Karl Konrad Schneider aus Apolda, den Albert Fink aus Lauterbach, den Karl Pfeifer aus Stuttgart? Die erfindungsreichen Einwanderer schufen in der Neuen Welt kühn konzipierte Verbindungswege. Sie bauten ihre Brücken über den Ohio und den Mississippi, über den Delaware, den Kentucky und den Niagara, über Kanäle und Schluchten. Sie halfen ein neues Verkehrszeitalter begründen, in dem die junge Nation sich als Ganzes stärker als je zuvor bewußt wurde.

Ihre Namen verdunkelten im Schatten ihrer Meisterwerke. Nur einer leuchtet weiter im Gedächtnis der Nachwelt: Johann August Roebling. Er stammte aus dem thüringischen Mühlhausen und erbaute die Riesenbrücke über den East River zwischen New York und Brooklyn. Sie wurde 1883 eröffnet. Noch heute trägt die Brooklyner Hängebrücke den Strom der Fahrzeuge, der Tag und Nacht zwischen New York und Brooklyn fließt. Alfred Kerr sprach von der „Schwebewucht" der Roebling-Konstruktion. Majakowskij schaute auf Brücke und Amerika zugleich und rief aus: „Gewinnen nicht Leben hier meine Visionen?", und der

Who still remembers the great German bridge builders of nineteenth-century America: Ludwig Wernweg from Reutlingen, Karl Konrad Schneider from Apolda, Albert Fink from Lauterbach, Karl Pfeifer from Stuttgart? These immigrants, full of inventiveness, created daringly conceived bridges in the New World: over the Ohio and the Mississippi, over the Delaware, the Kentucky, and the Niagara, over canals and gorges. They helped to found a new era of transport, in which the young nation found itself stronger than ever before.

Their names were overshadowed by their works; only one is still remembered by posterity – Johann August Roebling. He came from Mühlhausen in Thuringia, and built the giant bridge over the East River between New York and Brooklyn, which was opened in 1883. Today the Brooklyn suspension bridge still carries the stream of traffic that plies day and night between New York and Brooklyn. Alfred Kerr spoke of the "hanging mass" of Roebling's construction. Majakowski looked at bridge and America together and exclaimed: "Have not my visions come to life at this very place?" and the Brooklyner Arthur Miller lauded the "structure without aggression" as a bridge for poets, a visionary bridge, for it seemed to have originated

Brooklyner Arthur Miller rühmte die „Struktur ohne Aggression" als eine Brücke für Poeten, eine erträumte Brücke, denn sie scheine nicht aus den Berechnungen eines Ingenieurs entstanden, sondern aus der Phantasie eines Träumers. 1983 feierte New York den 100. Geburtstag dieses technischen Kunstwerkes. Einer schrieb: „Die Brücke zu lieben, gehört zum Menschsein."

Kurt Schleucher

Das alte Motto der Deutschamerikaner lautet: Unser Deutschland ist uns die Mutter, zu lieben und zu ehren; das Land des Sternenbanners ist uns die Frau, mit der man durch dick und dünn geht.

Erwin Rosen

not in the calculations of an engineer, but in the fantasy of a dreamer.

In 1983 New York celebrated the hundredth birthday of this technological work of art. Someone wrote: "Loving the Bridge is part of being human."

Kurt Schleucher

The old motto of the German American is: Germany is our mother, to be loved and honored; the land of the star-spangled banner is our wife, to go with us through thick and thin.

Erwin Rosen

Glaube an dich selbst!

Die ästhetische Erziehung, wie sie Schiller auf philosophischem Weg seinem Volk geben wollte, suchte Emerson der neuen Welt als praktische, gesunde und vorteilhafte Lebensweisheit zu vermitteln.

Das Machtwort „Glaube an dich selbst!" wurde für Emerson zum gebietenden Wahlspruch des jungen Amerika.

Carl Alexander von Gleichen-Russwurm

Believe in Yourself!

Schiller wanted to give his people an esthetic education by means of philosophy; Emerson sought to bestow one on the New World in the form of a practical, healthy, and profitable worldly wisdom. The exhortation to "Believe in yourself!" became for Emerson the ruling motto of the young America.

Carl Alexander von Gleichen-Russwurm

203

Namen sind oft Symbole für die Beziehung zweier Völker. Was die „Mayflower" den englischen Pilgervätern im Jahre 1620 bedeutete, das war 63 Jahre danach der Segler „Concord" für die erste deutsche Einwanderergruppe.
Concordia – Eintracht, dieses Prinzip verband die Einwanderer untereinander und mit ihrer neuen Heimat.

John Lion

Gewiß war es ein sinniger Gedanke, daß Pastorius beim Entwurf eines Ortssiegels für Germantown in dasselbe ein Kleeblatt zeichnete, dessen drei Blätter den Weinstock, den Flachs und die Weberei darstellen sollten, was durch die Umschrift: „Vinum, Linum et Textrinum" („Wein, lein und webeschrein") Ausdruck fand. Dadurch wurde zugleich die Mission der Deutschen in Amerika, die Förderung des Ackerbaues, des Gewerbes und des heiteren Lebensgenusses in der glücklichsten Weise angedeutet.

Rudolf Cronau

Names are often symbols for the relationships between peoples. What the "Mayflower" was to the English Pilgrim Fathers in 1620, the sailing ship "Concord" was to the first German immigrants 63 years later.

Concordia – harmony, this principle united the immigrants with one another and with their new home.

John Lion

In designing a local insignia for Germantown, Pastorius had the ingenious idea of incorporating a clover leaf. As the Latin inscription "Vinum, linum et textrinum" explains, the three parts of the leaf were meant to stand for the wine, flax-growing, and weaving industries. This was an excellent way of representing by means of a single emblem the mission of the Germans in America: the promotion of agriculture, trade, and cheerful enjoyment of life.

Rudolf Cronau

Franklins Autobiographie war eine neue Art der Literatur: die Geschichte eines Handwerkers, Kaufmanns, Bürgers im Zeitalter der Vernunft und Aufklärung. Und er schrieb für eine Gesellschaftsschicht, um die sich bisher wenige Historiker gekümmert hatten: den Mittelstand. Auf Goethe machte diese Vorstellungswelt großen Eindruck, und die simple, gerade, umschweiflose Art, wie Franklin sie ohne Muster oder Vorbild in die Literatur einführte, hatte ihre tiefe Wirkung auf die Konzeption von „Dichtung und Wahrheit". Wer „etwas Tüchtiges werden wollte", konnte sich kein besseres Vorbild wählen als diesen weisen Mann aus Philadelphia.

Goethe fand an Franklin „die Wahl gemeinnütziger Gegenstände, tiefe Einsicht, freie Übersicht, glückliche Behandlung und fröhlichen Humor" besonders rühmenswert. Man kann kaum zweifeln, daß Goethes Autobiographie die Lebenserinnerungen Franklins zum Vorbild hatte. Die Parallelen in den Grundsätzen sind allzu sinnfällig: das beharrliche Streben nach ungetrübter Selbstkenntnis, die undogmatische, vernunftgeleitete, von Grund aus sittliche Haltung, die Neigung zur praktischen Lebensweisheit, die pädagogische Absicht, der echte, verantwortliche Bürgersinn, der in der Arbeit

Franklin's autobiography was a new kind of literature: the story of a craftsman, tradesman, and citizen in the Age of Reason and Enlightenment. And he wrote it for a stratum of society to which previously few historians had paid any attention: the middle class. This world of ideas made a great impression on Goethe, and the simple, direct, and straightforward way in which Franklin introduced it into literature, without pattern or precedent, deeply influenced the conception of "Dichtung und Wahrheit" ("Poetry and Truth"). Anyone who wanted to "become something outstanding" could choose no better model than the man from Philadelphia.

The qualities that Goethe found most laudable in Franklin were his selection of topics germane to the public interest, his deep insight, his independent views, his talent for negotiation, and his cheerful humor. It can hardly be doubted that Goethe made Franklin's memoirs a model for his autobiography. The parallels are too striking: the persistent striving for unclouded self-knowledge; the undogmatic, rational, thoroughly moral bearing; the inclination towards a practical worldly wisdom; the educational schemes; and the true public spiritedness whereby the personality found its best expres-

für die Gemeinschaft den besten Ausdruck für die eigene Persönlichkeit findet.

Goethes Bemerkung, er sei kurz vor der Erfindung des Blitzableiters geboren, kam ihm nicht von ungefähr. Er bestätigte damit nicht nur seine Bewunderung für den Erfinder des Blitzableiters, sondern weit mehr: eine tiefe Affinität mit den so ungeheuer vielfältigen Leistungen des Mannes, dessen ausgerundete, in sich ausgewogene universalistische Persönlichkeit der seinen außerordentlich entsprach.

Franklin war ein Bürger, der einen Staat zu schaffen half, in dem er Staatsbürger sein konnte. Das war etwas Neues. „Man wünschte den Amerikanern alles Glück", schreibt Goethe in „Dichtung und Wahrheit" zum Unabhängigkeitskrieg, „und die Namen Franklin und Washington fingen an, am politischen und kriegerischen Himmel zu glänzen und zu funkeln. Manches zur Erleichterung der Menschheit war geschehen." Man wünschte ihnen nicht nur Glück. Man beneidete sie um ihr Glück.

Peter de Mendelssohn

sion in work always undertaken for the society. Goethe's observation that he was born shortly after the discovery of the lightning rod was not made by chance. He was asserting not only his admiration for the inventor of the lightning rod, but also a deep affinity with the immensely diverse achievements of the man whose well-rounded, balanced, and universalistic personality so well matched his own.

Franklin was a citizen who helped to create a country of which he might be a citizen. That was something new. "One wished the Americans all luck", writes Goethe in "Dichtung und Wahrheit" ("Poetry and Truth"), referring to the War of Independence, "and the names of Franklin and Washington began to glitter and sparkle in a political and martial heaven. A lot had happened to ease the burden of Mankind." One not only wished them luck, one envied them their luck.

Peter de Mendelssohn

Amerika, du hast es besser
Als unser Kontinent, das alte,
Hast keine verfallene Schlösser
Und keine Basalte.
Dich stört nicht im Innern,
Zu lebendiger Zeit,
Unnützes Erinnern
Und vergeblicher Streit.

Goethe

Seien Sie unbesorgt für das Fortkommen ihrer Kinder! Geben Sie ihnen eine gute Erziehung, und wenn Europa keine Aussicht für sie hat, Amerika hat hinlänglich Mittel, um gute Weltbürger zu versorgen. Hier macht weder Religion noch Vaterland den geringsten Unterschied. Hier sind weder Ahnen noch Vermögen nötig, um einen Mann ansehnlich und glücklich zu machen. Kenntnisse in den Wissenschaften, im Handel oder im Ackerbau sind alles, was erforderlich ist, um in kurzer Zeit ein unabhängiges Glück zu genießen.

Friedrich Wilhelm von Steuben
an einen Freund in Deutschland

America, you're better off than
Our continent, the old,
You have no castles which are fallen,
No basalt to behold.
You're not disturbed within your inmost being
Right up till today's daily life
By useless remembering
And unrewarding strife.

Goethe

Don't be concerned for your children's success. Give them a good education and if there is no chance for them in Europe, America has sufficient means to provide for good citizens of the world. Here, neither religion nor fatherland makes the slightest difference. Here, neither ancestors nor wealth are required to make a man notable and prosperous. Knowledge of the sciences, of commerce or of farming is all that is necessary to attain independence and happiness in a short time.

Friedrich Wilhelm von Steuben
to a friend in Germany

Wer nicht mit der Entwicklung von Wissenschaft und Erziehung während des letzten Jahrhunderts vertraut ist, weiß nicht, in welchem Maß wir Amerikaner Humboldt verpflichtet sind. Wir verdanken ihm in der Physik alle Grundlagen der Volkserziehung, die über die rein elementaren Anweisungen hinausgehen. Täglich bringen wir in jeder Schule dieses weitläufigen Landes die von ihm gesäte geistige Ernte ein, hier, wo Erziehung die Erbschaft des ärmsten Kindes ist. Seht euch diese Landkarte der Vereinigten Staaten an: alle ihre kennzeichnenden Merkmale gründen auf seinen Forschungen.

Jean L. R. Agassiz
über Alexander von Humboldt

Mir deucht, Amerika hat die freien Institutionen und Europa die freien Menschen, die ihrer zu ihrer Entwicklung bedürfen.

Friedrich Hebbel

To what degree we Americans are indebted to him, no one knows who is not familiar with the history of learning and education in the last century. All the fundamental facts of popular education in physical science beyond the merest elementary instruction, we owe to him. We are reaping daily in every school throughout this broad land, where education is the heritage of the poorest child, the intellectual harvest sown by him. See this map of the United States; – all its important traits are based upon his investigations.

Jean L. R. Agassiz
on Alexander von Humboldt

It seems to me that America has the free institutions and Europe has the free people that they need for their development.

Friedrich Hebbel

Der deutsche Pädagoge Friedrich Fröbel gründete 1840 den „Allgemeinen deutschen Kindergarten". Schon sechzehn Jahre später eröffnete die Frau von Carl Schurz, Margarethe Meyer-Schurz aus Hamburg, in Watertown/Wisconsin den ersten „Kindergarten" Amerikas. Der zweite entstand zwei Jahre später in Columbus/Ohio, 1858 gegründet von Caroline Louisa Frankenberg, einer früheren Mitarbeiterin Fröbels. Durch Elizabeth Peabody, die Schöpferin des Amerikanischen Fröbel-Instituts, und die pädagogische Pionierarbeit von Emma Marwedel im Westen des Landes gewann die reformerische Idee Fröbels schnell an Boden. Viele Amerikaner verdanken der naturgemäßen Erziehungsmethode eine frühe Entbindung schöpferischer Kräfte, die oft die Wahl ihres Berufes beeinflußte. Bis heute gebrauchen die Amerikaner das deutsche Wort „Kindergarten".

Max Fahrenbach

In 1840, the German educationist Friedrich Fröbel founded the "Allgemeiner deutscher Kindergarten" (General German Kindergarten). Only 16 years later, the wife of Carl Schurz, Margarethe Meyer-Schurz of Hamburg, opened the first American Kindergarten in Watertown, Wisconsin. Two years later, in 1858, Caroline Louisa Frankenberg, who had previously worked with Fröbel, opened the second in Columbus, Ohio. Thanks to Elizabeth Peabody, the founder of the American Fröbel Institute, and Emma Marwedel, who was a pioneer in education in the west of the country, the reformatory ideas of Fröbel quickly gained ground. His natural methods of education have been responsible for the early release of creative powers in many Americans, often influencing their choice of career. And to this day the Americans use the German word "kindergarten".

Max Fahrenbach

Das lebhafte Interesse meiner Mutter an Fröbels System wurde 1876 bei Philadelphias Jahrhundertfeier geweckt. Dort, im Pavillon des Friedrich-Fröbel-Kindergartens, fand meine Mutter die „Gaben". Und es waren wirklich „Gaben". Zu diesen kam das System: als Grundlage für Entwürfe und als die elementare Geometrie für die Entstehung der Form.

Meine Mutter lernte von Friedrich Fröbel aus Deutschland, daß Kinder erst dann nach den zufälligen Erscheinungsformen der Natur zeichnen dürfen, wenn sie die hinter jenen Erscheinungen verborgenen Grundformen beherrschen. Zuerst mußten umfassende, harmonische und geometrische Elemente dem Kinderverstand sichtbar gemacht werden.

Mehrere Jahre hindurch saß ich an dem kleinen Kindergartentisch, über den sich im Abstand von zehn Zentimetern Längs- und Querlinien zogen, so daß lauter Zehn-Zentimeter-Quadrate entstanden; und ich spielte unter anderem in diesem Koordinatensystem mit dem Quadrat (Würfel), dem Kreis (Kugel) und dem Dreieck (Tetraeder oder Dreifuß) – das waren schöne glatte Klötze aus Ahornholz. Scharlachrote Pappdreiecke, an der kurzen Seite fünf Zentimeter lang, mit weißer Unterseite, waren die zusammenfügbaren Dreiecke, mit denen ich

Mother's intense interest in the Froebel system was awakened at the Philadelphia Centennial, 1876. In the Frederick Froebel Kindergarten exhibit there, mother found the "Gifts". And "gifts" they were. Along with the gifts was the system, as a basis for design and the elementary geometry behind all natural birth of Form.

Mother learned that Frederick Froebel from Germany taught that children should not be allowed to draw from casual appearances of Nature until they had first mastered the basic forms lying hidden behind appearances. Cosmic, geometric elements were what should first be made visible to the child-mind.

For several years I sat at the little kindergarten table-top ruled by lines about four inches apart each way making four-inch squares; and, among other things, played upon these "unit-lines" with the square (cube), the circle (sphere) and the triangle (tetrahedron or tripod) – these were smooth maple-wood blocks. Scarlet cardboard triangles, two inches on the short side, and one side white, were smooth triangular sections with which to come by pattern-design by my own imagination. Eventually I was to construct designs in other mediums. But the smooth cardboard triangles and maple-wood blocks were

nach meiner eigenen Phantasie Muster legen und Entwürfe machen konnte. Schließlich hatte ich die Entwürfe mit anderen Mitteln herzustellen, aber die idealen Pappdreiecke und Ahornklötze blieben entscheidend. Noch heute glaube ich, sie in meinen Händen zu halten und mit meinen Fingern zu befühlen.

Auch deutsches Buntpapier in schönen sanften Farbtönen, glänzend und matt, gehörte zu den „Gaben". Die etwa 30 × 30 cm großen Bogen wurden eingeschnitten, und dann konnte man ein farbenfrohes Muster einweben, wie einem die Phantasie es eingab. So erwachte der Sinn für Farben.

Das alles diente schließlich dazu, dem Kinderverstand die rhythmische Struktur in der Natur zu erschließen – dem Kind ein Gefühl für das allem innewohnende Gesetz von Ursache und Wirkung zu geben, das sonst das Kinderverständnis übersteigt.

Frank Lloyd Wright

most important. All are in my fingers to this day.

Also German papers, glazed and matte, beautiful soft color qualities, were another one of the "gifts" – cut into sheets about twelve inches each way, these squares were slitted to be woven into gay colorful checkerings as fancy might dictate. Thus color sense awakened.

The virtue of all this lay in the awakening of the child-mind to rhythmic structure in Nature – giving the child a sense of innate cause-and-effect otherwise far beyond child-comprehension.

Frank Lloyd Wright

Justus Liebig und Johannes Müller gaben – zunächst auf ihren Gebieten der Chemie und Physiologie – einen weiteren segensreichen Anstoß für die Entwicklung der Wissenschaften in Deutschland. Sie führten die Ausbildung der Studenten im Labor ein. Der Erfolg war groß. Nicht nur die frühzeitige Bekanntschaft mit den Problemen der Forschung wirkte sich förderlich aus, sondern, vielleicht mehr noch, die Tatsache, daß sich Student und Professor oder jedenfalls Student und Lehrender schon während der Ausbildung näherkommen, Erfahrungen miteinander austauschen.

Deutsche Universitäten waren zu dieser Zeit wegen des neuen Trends bevorzugte Ausbildungsstätten für Amerikaner, die es sich leisten konnten, im Ausland zu studieren. Sie brachten die Idee vom Laborstudium mit heim über den Atlantik, ließen aber offenbar die längst obsolet gewordene Strukturierung der Wissenschaft in Europa zurück. So ließ sich in einem zeitgemäßen Rahmen das „Lernen durch Tun", das John Dewey später zum Grundprinzip effektiver Pädagogik in den Schulen erhob, in den amerikanischen Hochschulen wirkungsvoller einführen als in der Alten Welt.

Thomas von Randow

Justus Liebig and Johannes Müller gave a further beneficial impetus to the development of the sciences in Germany – first of all in their own subject areas, chemistry and physiology. They introduced the practice of teaching students in the laboratory, and this met with great success. It proved useful not only for students to make an early acquaintance with the problems of research, but also for students and professor – or at least, students and demonstrator – to come into personal contact during the courses and exchange ideas.

The new trend made German universities the most popular choice for Americans who could afford to study abroad at that time. They brought the idea of laboratory studies back with them across the Atlantic, while abandoning the long obsolete structuralization of scientific study still current in Europe. Within a contemporary framework, the concept of "learning by doing" proved easier to introduce effectively into the higher education establishments of the New World than those of the Old. John Dewey was later to make this the fundamental principle of education in schools.

Thomas von Randow

Ein „Weltschmerzdurchtobter" dachte früher nur selten daran, die alten Ketten, die ihn bisher gebunden, abzuschütteln und auf neuem Boden, von der lebensfrischen Keimkraft einer andern Welt durchglüht, ein ebenso neues, ein ebenso frisches Leben zu beginnen. Das Wort „europamüde" stand noch in keinem deutschen Wörterbuch.

Jetzt ist das sonst so ruhige, gemütliche Deutschland auf Reisen gegangen; Michel hat Schlafrock und Pantoffeln ausgezogen, und am Amazonenstrom wie am Mississippi verlangt er von dem aufs äußerste erstaunten Echo, ihm „O du lieber Augustin" nachzusingen.

Man sollte den Einwanderer vor dem Fehler warnen, daß er dasselbe treiben will, was er im alten Vaterland getrieben hat, als ob er nun auch noch immer in das alte Wirtshaus gehen wollte, in das er seit Jahren gegangen. Ja, das liegt Tausende von Meilen hinter ihm! Eine neue Welt ist's, die ihn umgibt, eine neue Welt ist's also auch, der er sich anpassen, der alte Adam ist's, den er mit dem alten Schlafrock ausziehen muß.

Friedrich Gerstäcker

Formerly, the world-weary individual rarely thought of shaking off the chains of his old life and, glowing with the regenerative power of another world, beginning afresh on new soil. The word "europamüde" was not yet to be found in the German dictionary.

But now the otherwise so peaceful and comfortable Germany has gone a-traveling. The German Michel has taken off his dressing gown and slippers and now – on the shores of the Amazon and on the banks of the Mississippi – expects an extremely astonished echo to sing the folk song "O du lieber Augustin" back to him.

However, the new immigrant should be warned against the mistake of continuing to behave in just the same way in his new homeland as he did in the old – as though wanting always to go to the same old bar that he has frequented for years. That lies thousands of miles behind him! A new world lies around him and he must adapt to it; he must cast off the old Adam with the old dressing gown.

Friedrich Gerstäcker

Die Bürger Amerikas besitzen eine Errungenschaft, die wir Deutsche uns erst lange Zeit nach ihnen erkämpft haben und noch Schritt für Schritt weiter erkämpfen. Sie haben als Ideal in das tägliche Leben hineingetragen, was einst der Mann von Korsika meinte, als er erklärte, jeder seiner Soldaten trüge den Marschallstab im Tornister. In all seinem Kampf um den Dollar, bei all seinem mörderischen Riesenverbrauch von Menschen, achtet der Amerikaner die Persönlichkeit des einzelnen. Es ist eine seiner schönsten Lehren, wenn er anscheinend so unfreundlich und gleichgültig sagt und immer wieder sagt: hilf dir selber!

Die sonderbare amerikanische Luft, in der es von Arbeit rauscht und von der Wichtigkeit des Einzelmenschen tönt, hat Bruder Leichtfuß mit der alten Lebensweisheit durchtränkt, daß keine Werte geschenkt werden ohne Gegenwerte, und daß der allein frei ist und der allein tüchtig, der sich selber hilft! Das war mir Amerika!

Erwin Rosen

The citizens of America have achieved something which we Germans began to fight for much later than they, and are still fighting for step by step. They have taken as their ideal in daily life the one that the man from Corsica had in mind when he said that every soldier carried a marshall's baton in his knapsack. In the midst of his battle for the dollar, and in spite of his enormous use of human resources, the American pays attention to individual personalities. It is one of his best lessons when, apparently so unfriendly and indifferent, he says – time and time again: "Do something to help yourself!"

The very air in America is charged with a keenness for work and a sense of the importance of the individual. And "Bruder Leichtfuß" [a light-hearted fellow] has impregnated it also with the adage that no value is without its counterpart, and that only he who helps himself is competent and free. That was America to me!

Erwin Rosen

Oberlin College im Staat Ohio – ein Meilenstein in der Geschichte amerikanischer Hochschulen. Es wurde 1833 gegründet, zunächst als theologisches Seminar, und benannt nach dem Elsässer Pfarrer und Philanthrop Johann Friedrich Oberlin. Schon wenige Jahre später verwirklichte dieses College den in der amerikanischen Verfassung verankerten Gleichheitsgedanken: hier wurde erstmalig Koedukation eingeführt und die Rassendiskriminierung aufgehoben. Die Gründer hatten somit die Idee der Französischen Revolution und das Vorbild des Pfarrers Oberlin in christlicher Nächstenliebe verstanden, aufgegriffen und konsequent in die Tat umgesetzt.

130 Jahre später kam ich als deutsche Studentin, unzufrieden mit unserem Hochschulsystem und verloren in der Anonymität unserer Universitäten, an dieses einflußreiche College, fand gesunde Herausforderung, einen neuen Lernstil, nahm alle Anregungen mit zurück und ließ sie fruchtbar nachwirken.

Ursula Richter

Oberlin College in Ohio State represents a milestone in the history of American education. It was founded in 1833, originally as a theological seminary, and named after the Alsatian pastor and philanthropist Johann Friedrich Oberlin. Not many years later, this college began to put into effect the principles of equality anchored in the American Constitution: coeducation was introduced here for the first time, and racial discrimination was abolished. Thus the founders understood, took up, and consistently carried out the ideas behind the French Revolution and the example of Christian charity set by Oberlin.

One hundred and thirty years later I arrived as a German student, dissatisfied with our system of higher learning and lost in the anonymity of our universities. At this influential college I found healthy stimulus and a new style of learning, which continued to bear fruit after I returned home.

Ursula Richter

Architektur schrieb die Geschichte der Epochen und gab ihnen ihre Namen. So sagte Ludwig Mies van der Rohe. Der deutsche Architekt übernahm 1938 die Leitung der Architekturabteilung des von ihm erbauten Illinois Institute of Technology (IIT) in Chicago. Seine Neugestaltung des Campus, seine Bauten in Chicago und New York brachten ihm Weltruhm. Chicago wurde zum Pilgerort für Architekturstudenten aus Amerika, Deutschland und anderen Ländern. Mies setzte die Tradition der Chicagoer Schule fort, die in den achtziger Jahren des 19. Jahrhunderts bei den ersten Wolkenkratzern die Stahlskelettbauweise eingeführt hatte. Er gab den Studenten von überallher sein Wort auf die Heimfahrt mit: „Der lange Weg vom Material über den Zweck zur Gestaltung hat nur das eine Ziel: Ordnung zu schaffen in dem heillosen Durcheinander unserer Tage."

Erdmann Ball

Architecture wrote the history of the ages and gave them their names. So wrote the German architect Ludwig Mies van der Rohe. In 1938 Mies became Head of the Department of Architecture at the Illinois Institute of Technology (IIT), which he himself had planned. His reorganization of the campus and his buildings in Chicago and New York brought him world fame. Chicago became a pilgrimage center for architecture students from America, Germany, and elsewhere. Mies continued the tradition of the Chicago school, which had introduced the principle of building on a steel skeleton in the 1880s, with the first skyscrapers. He used to say to every student about to return home: "The long trail from material, over purpose, to design has only one objective: to create order out of the hopeless confusion of our time."

Erdmann Ball

Bis zur Jahrhundertwende waren Millionen Deutsche in die Vereinigten Staaten gekommen. Nach ihrer Ankunft siedelten sie nicht nur an der Ostküste, sondern drangen auch nach Westen vor. Sie reisten zu Fuß, auf dem Maultier und zu Pferd, auf Kähnen und in den berühmten Conestoga-Wagen (Planwagen), die von Deutschen in Pennsylvanien erfunden wurden, und später in überfüllten Eisenbahnwaggons quer durch das Land.

Sie kamen mit nichts an außer ihrem Glauben. Denn die Deutschen brachten in ihre neue Heimat den Glauben an Gott, an die Familie und an die Güte der Erde, der so fest war wie die Alpen und so beständig wie der Rhein. Und sie brachten einen weiteren Glauben mit, den Glauben an die Arbeit – harte, ehrliche Arbeit.

Und sie haben gearbeitet. Sie fällten Bäume in Minnesota und Wisconsin. Sie rodeten die Ebenen von Illinois. Sie erschlossen die Weiden von Texas. Sie pflügten das Land, säten Getreide, züchteten Schweine, molken die Kühe, hüteten das Vieh. Wo immer die Deutschen sich niederließen und das Land bebauten, entstanden blühende Siedlungen: Frankfort in Indiana, Bismarck in North Dakota, New Munich in Minnesota, New Braunfels in Texas, New Holstein in Wisconsin.

By the turn of the century, more than five million Germans had come to the United States. As they came they settled not only on the East Coast but pushed West. They travelled across the country by foot, by mule and horse-back. On flatboats, in the famous Conestoga wagons invented by Germans in Pennsylvania, and later, in crowded railroad cars.

They arrived with nothing but their faith. For the Germans brought to their new homes a belief in God, the family, and the goodness of the earth as solid as the Alps and as steady as the Rhine. And they brought another belief, a belief in work – hard, honest work.

And work they did. They felled the timbers of Minnesota and Wisconsin. They cleared the plains of Illinois. They explored the grazing grounds of Texas. They ploughed the land, planted grain, raised hogs, tended cows, herded steer. Wherever the Germans settled and work-ed the land, flourishing towns grew up: Frank-fort, Indiana; Bismarck, North Dakota; New Munich, Minnesota; New Braunfels, Texas; New Holstein, Wisconsin.

Germans who came later gathered in America's great cities. St. Louis and Milwaukee both be-came known for their Germans. By 1900 Chica-go had a German-speaking population larger

Die Deutschen, die später kamen, zogen in die Großstädte Amerikas. St. Louis und Milwaukee wurde für ihre Deutschen bekannt. Um 1900 hatte Chicago eine deutschsprechende Bevölkerung, die größer war als die des damaligen Frankfurt, und die Deutschen in New York waren zahlenmäßig mehr als die Bewohner Münchens.

Die Arbeit, die reine, unermüdliche Arbeit dieser deutschen Einwanderer half, lebendige Industrien aufzubauen und Ackerland zu roden, das zu den reichsten der Welt gehörte. Und diese deutschen Einwanderer gaben Amerika nicht nur Farmen und Fabriken, sondern auch ihre Kinder. Heute sind 60 Millionen Amerikaner, d.h. mehr als jeder vierte, Nachkommen deutscher Einwanderer, und sie bewohnen ein Land, das zu einem großen Teil durch die Arbeit deutscher Hände blühend und frei gemacht wurde.

George Bush
Vizepräsident der Vereinigten Staaten von Amerika, am 25. Juni 1983 in Krefeld

than Frankfurt and the Germans in New York outnumbered the inhabitants of Munich.

The work, the sheer, relentless work, of those German immigrants helped build vigorous industries and create some of the richest farmland in the world. And those German immigrants gave America not only farms and industry, but their children. Today 60 million Americans, more than one in four, are the descendants of German immigrants, and they inhabit a country made prosperous and free largely by the work of German hands.

George Bush
Vice President of the United States of America
June 25, 1983 in Krefeld

Abenteuer der Zukunft

Ich selbst bin ein geborener, ausgewachsener und eingefleischter Europäer. Und Amerika hat mir die Chance gegeben, in meinem Beruf, in meinem Denken und Schaffen, in meiner Voraussetzung und meiner Arbeit, europäisch, ja sogar deutsch zu bleiben, und doch von ganzem Herzen ein Bürger Amerikas zu sein – ein Nachbar in einem nachbarlichen Land, einem Land, dessen Leidenschaft und dessen Abenteuer die Zukunft ist.

Carl Zuckmayer

Adventure of the Future

I myself am a born, fully grown, and confirmed European. And America gave me the chance – in my career, in my thoughts and deeds, in my attitudes and in my work – to remain European, even to remain German, and yet at the same time with all my heart be an American citizen – a neighbor in a neighborly land, a land passionately awaiting the adventure of the future.

Carl Zuckmayer

Man hat mir gelegentlich nachgesagt, ich müsse immer patriotisch sein, wenn nicht mehr als Deutscher, so nun als Amerikaner. Daran mag etwas Wahres sein. Und der patriotische Traum meines Alters ist denn also, Amerika möchte sich zu der moralischen Kühnheit erheben, die seiner Stärke entspricht, und die Initiative ergreifen zu einer universellen Friedenskonferenz, auf der nicht nur dem verderblichen Wettrüsten ein Ende gemacht, sondern, im wohlverstandenen nationalen Interesse aller, auch Amerikas, der Plan entworfen werden sollte zu einer umfassenden Finanzierung des Friedens, zu einer Konsolidierung aller ökonomischen Kräfte der Völker im Dienst gemeinsamer Verwaltung der Erde und einer Verteilung ihrer Güter.

Thomas Mann

Ich wünschte, die Väter der Amerikanischen Verfassung hätten gesagt: „Leben, Freiheit und das Streben nach dem Unerreichbaren!"

Yehudi Menuhin

People have often told me that I should be patriotic – if no longer as a German, then now as an American. There may be something in that. Well then, the patriotic dream of my old age is that America may rise to the moral courage appropriate to her strength, and take the initiative in organizing a universal peace conference. The purpose of this conference would be not only to make an end to the pernicious arms race, but also, in the clear interests of all nations, including America, to plan a comprehensive financial basis for peace and a consolidation of the economic resources of all peoples, to enable a common administration of the Earth and a fair distribution of assets.

Thomas Mann

I wish that the Fathers of the American Constitution had said: "Life, freedom, and the pursuit of the unattainable!"

Yehudi Menuhin

Wernher von Braun lebte bis 1945 in Deutschland als Konstrukteur von Fernraketen. Dann trat er in amerikanische Dienste und war für die Vorbereitung der Weltraumfahrt tätig. Mit seinen Mitarbeitern in Huntsville/Alabama entwickelte er die Saturn-V-Trägerrakete. Sie beförderte am 20. Juli 1969 den ersten Menschen auf den Mond. Braun sagte über sein Grenzen sprengendes Unternehmen:

Für uns ist das die Erfüllung eines Traums, der bis in die Anfänge unserer Raketenentwicklungsarbeit in Deutschland vor vielen Jahren zurückreicht.

Ich bezweifle nicht, daß der Mensch es ablehnen wird, sich in die Grenzen zu bescheiden, die ihm auf unserem kleinen Planeten gesteckt sind. Er wird weiter dem Gesetz folgen, von dem er seinen Ausgang nahm, um sich die Erde untertan zu machen. Er wird seinen Aktionsradius genau so selbstverständlich auf andere Planeten ausdehnen, wie er es über die ganze Erde getan hat.

Es wäre unnatürlich und der menschlichen Natur zuwidergehandelt, wollte der Mensch jetzt vor den verlockendsten Geheimnissen der ihn umgebenden Natur Halt machen – und das zumal in einem Augenblick, wo ihm die Raumfahrttechnik die nötigen Mittel in die Hand gibt,

Until 1945, Wernher von Braun lived in Germany as a ballistic missile designer. Then he entered American service and was employed on preparations for space travel. With his colleagues in Huntsville, Alabama, he developed the Saturn V spacecraft, which set the first man on the moon on 20 July 1969. Referring to his revolutionary task, Braun said:

For us it is the fulfillment of a dream which goes back to the beginning of our work on rocket development in Germany many years ago.

I have no doubt that Man will decline to confine himself within the narrow boundaries imposed upon him by this small planet. He will continue to follow the principle which guided him when he set out to conquer the earth. He will extend his sphere of action just as unquestionably to other planets as he has over the whole of this world.

It would be unnatural and contrary to his instincts if Man were now to stop short of unveiling the most alluring secrets of the natural world surrounding him, and that at the very moment when space technology is offering him the

sie zu enthüllen. Die Tatsache, daß die Erforschung und Besiedlung des Weltraums vielleicht besonders große Schwierigkeiten und Risiken mit sich bringt, wird eine besonders lockende Herausforderung an die stärksten Nationen und die fähigsten Köpfe darstellen.

Wernher von Braun

Als vor dreihundert Jahren jene erste Reise von Krefeld in die Neue Welt begann, war unter den Reisenden ein Mann namens Thones Kunders. Acht Generationen später hatte sich der Nachname von Kunders in Conrad verändert, und Charles Conrad Jr., ein direkter Nachfahre von Thones, wurde Astronaut und spazierte auf dem Mond.

George Bush

means of doing so. The fact that the exploration and colonization of space perhaps involves huge risks and difficulties will present a particularly enticing challenge to the strongest nations and the ablest minds.

Wernher von Braun

Three hundred years ago, when that first ship set sail for the New World from Krefeld, one of those on board was named Thones Kunders. Eight generations later the family name had changed from Kunders to Conrad, and Charles Conrad, Jr., a direct descendant of Thones, became an astronaut and walked on the moon.

George Bush

Zeit mag eilen oder rinnen,
Feinde, Hand in Hand,
Müßt zuletzt einander gewinnen
Aus Herzensverstand.

Was auch der Würfel getrieben,
Wer auch als Sieger scheint reich,
Ihr wißt: zuletzt müßt ihr lieben –
Warum nicht gleich?

Witter Bynner

Vielleicht hat mir meine europäische Her-
kunft dabei geholfen, zu verstehen, daß
nicht alles zu ermöglichen ist und daß Nationen
Tragödien erleiden können, wenn sie nicht mit
Weisheit und Hingabe und Weitsicht handeln.

Henry Kissinger

Whether the time be slow or fast,
  Enemies, hand in hand,
Must come together at the last
And understand.

No matter how the die is cast
Nor who may seem to win,
You know that you must love at last —
Why not begin?

Witter Bynner

Perhaps my European origin has helped me to understand that not everything is possible, and that nations can suffer tragedies when they do not act with wisdom, devotion, and far-sightedness.

Henry Kissinger

Das deutsch-amerikanische Verhältnis – ein Wechselspiel der Träume, geteilter, getauschter, gewandelter Träume, ein Zusammenspiel von gemeinsamen Verpflichtungen, Anstrengungen und Leistungen für die Welt von morgen.

Werner Höfer

Laßt uns die ehren, die den Rosenstock gepflegt haben, als er noch bloß Dornen hervorbrachte, weil sie den Glauben nicht aufgegeben haben, daß er einst blühen werde, weil sie die Rosen im Geiste bereits sahen, als nur Dornen dem Auge sichtbar waren.

Karl Follen

The German-American relationship: an interplay of dreams – shared, exchanged, transformed dreams; a team effort with common obligations, exertions, and achievements for the world of tomorrow.

Werner Höfer

Let us honor those who tended the rosetree while it still produced nothing but thorns, because they did not give up the belief that it would bloom one day, because they saw roses in their mind's eye while outwardly only thorns appeared.

Karl Follen

Möge es Gottes Wille sein, daß nicht nur Liebe für die Freiheit, sondern auch eine gründliche Erkenntnis der Menschenrechte die Nationen der Erde durchdringen möge, so daß ein Philosoph, wo immer er auch seinen Fuß hinsetzen mag, sagen kann: „Dies ist mein Land."

Benjamin Franklin

G od grant, that not only the Love of Liberty, but a thorough Knowledge of the Rights of Man, may pervade all the Nations of the Earth, so that a Philosopher may set his Foot anywhere on its Surface, and say: "This is my Country".

Benjamin Franklin

Grüße über Grenzen

Der Philosoph Emerson schrieb in seinem Werk über Plato, jedes Buch sei ein Zitat; jedes Haus sei ein Zitat aus Wäldern, Bergwerken und Steinbrüchen; und jeder Mensch sei ein Zitat aus seinen Vorfahren.

Die Anthologie „Grüße über Grenzen" vereint Zitate von Menschen diesseits und jenseits des Ozeans, von Gestalten unserer Gegenwart und vergangener Jahrhunderte. Ihren Geist zitieren wir herbei, indem wir ihre Worte zitieren. Vorfahren und Nachfahren grüßen einander über Zeit und Raum hinweg.

Ein Literaturwissenschaftler wagte das Paradoxon: „Deutschland liegt allem Anschein nach sehr viel weiter von Amerika entfernt als Amerika von Deutschland." Wer wechselseitige Spiegelungen in der Literatur beider Länder vergleicht, mag solche Relativität für gegeben halten. Vielleicht übersieht er dabei das Bindegewebe, das Generationen hindurch zwischen dem amerikanischen und dem deutschen Volk gewachsen ist. Das geschah beinahe unauffällig. Manchmal riß es schmerzlich ein, doch dann wieder wuchs es haltbar zusammen.

Greetings
Across the Ocean

The philosopher Emerson said, in his work on Plato, that every book is a quotation; every house is a quotation from forests, mines, and quarries; and every man is a quotation from his ancestors.

The anthology "Greetings Across the Ocean" includes quotations from both sides of the Ocean, from contemporary figures and from those of bygone centuries. And in quoting their words, we summon up something of their spirit. Ancestors and descendants greet one another across time and space.

A literary critic ventured the paradox: "To all appearances, Germany would seem to be further from America than America is from Germany." Anyone who compared the extent to which the influence of each country is reflected in the literature of the other might think that this imbalance was obvious. However, in so thinking he might overlook the bond which, over the generations, almost without being observed, has grown up between the German and American peoples. It has suffered painful wrenches, but has always grown anew.

249

Amerikaner, die in Deutschland reisen, Deutsche, die in Amerika reisen, spüren dieses Bindegewebe unterhalb aller Unterschiede. Ein feinfühliger Beobachter aus der Neuen Welt sagte das schon vor über 200 Jahren auf seine Art, als er im Rheinland weilte: „Die Nachbarschaft dieser Gegend ist uns ein zweites Mutterland gewesen." Der Besucher hieß Thomas Jefferson, Mitverfasser der amerikanischen Unabhängigkeitserklärung und von 1801 bis 1809 dritter Präsident des Landes. Alexander von Humboldt war 1804 drei Wochen lang sein Gast in Washington und auf dem Landsitz Monticello. Der deutsche Forschungsreisende berichtete dem amerikanischen Präsidenten über seine Südamerika-Expedition, und Jefferson verarbeitete Humboldts Anregungen in weitgreifenden Zukunftsplänen, so die Idee, einen Kanal durch die Landenge von Panama zu bauen.

Einer von vielen deutsch-amerikanischen Dialogen. Chronisten notierten sie, Historiker stellten die Einzelereignisse in den geschichtlichen Zusammenhang, dies schon seit den Tagen, als 1683 die erste deutsche Einwanderergruppe eine Siedlung auf amerikanischem Boden gründete und ihr den Namen „Germantown – Deutsche Stadt" gab. Damals begann, noch kaum vernehmbar, das Zwiegespräch zwischen Deutschen und Amerikanern über das beiderseitige Verhältnis. Geschichtliche Entwicklungen, politische Verwicklungen setzten bisweilen harte Akzente. Ressentiments und Dissonanzen bedrohten das Gespräch, doch sie erstickten es nicht. Kein Problem konnte auf Dauer dem Freimut die Atemluft abpressen. Immer wieder kamen von Menschen diesseits und jenseits des Ozeans freundschaftliche Äußerungen, als wollten sie oberhalb allen Hin- und Hergeredes das Bleibende, das Beste einander zusprechen.

„Können Völker einander verstehen?" fragt Klaus Harprecht in seinem Amerika-Buch „Der fremde Freund". Seine Antwort stützt sich auf jenen frühen Besucher des Rheinlandes, der es ein zweites Mutterland nannte. „Amerikaner vertrauen auf die menschliche Fähigkeit des Lernens. Darin blieben sie Thomas Jefferson treu." Haß enthüllt, Liebe entdeckt. Haß führt das zergliedernde Skalpell, Liebe fährt die Antennen der Sympathie aus.

American travelers in Germany and German travelers in America are aware of this bond underneath all the differences. A perceptive observer from the New World visiting the Rhineland over 200 years ago said this same thing in his own way: "The neighborhood of this place is that which has been to us a second mother country." This was Thomas Jefferson, joint author of the American Declaration of Independence and from 1801 to 1809 President of the country. In 1804, Alexander von Humboldt was his guest for three weeks in Washington and on his estate Monticello. The German explorer told the American President of his South American expedition, and Jefferson made use of Humboldt's suggestions in his far-reaching future plans – the idea of building a canal across the Isthmus of Panama.

This was one of many German-American dialogs. Chroniclers have noted them down and historians have placed the individual events in a wider context – ever since the days when (in 1683) the first group of German immigrants founded a settlement on American soil and called it "Germantown".

Then began – albeit still barely perceptibly – the colloquy between Germans and Americans on their mutual relations. Historical developments and political complications were sometimes responsible for a hardening of the tone. Resentments and dissonances threatened the dialog but they failed to stifle it. No problem was able to mar the frankness of the exchange in the long term. Over and over again expressions of friendliness came from people on both sides of the Ocean, as though, over and above all the talk, they wanted to offer one another something permanent, the best they could.

"Can different peoples understand one another?" asks Klaus Harprecht in his book about America, "The Foreign Friend". His answer finds support in that former visitor to the Rhineland who has called it a second motherland. "Americans rely on human capacity for learning: in this they remain true to Thomas Jefferson." Hate exposes, love discovers. Hate bears the scalpel that dissects, love extends the antennae of sympathy. The inner sen-

251

Die seelischen Sensoren erleichtern dem Verstand das Verstehen-lernen – bis hin zu dem uns anfangs fremd erscheinenden Anderssein.

Die Anthologie „Grüße über Grenzen" nimmt die reich facettierte Thematik auf. Sie versammelt Zeugen gegenseitiger Wertschätzung von Franklin und Goethe bis Zuckmayer und Thornton Wilder, von den Deutschlandwanderern Washington Irving, Cooper, Longfellow und Mark Twain, von deutschen Amerikafahrern seit Pastorius und seinen Krefelder Einwanderern bis zu Emigranten des 20. Jahrhunderts, unter ihnen der Architekt Walter Gropius, dessen 100. Geburtstages 1983 die Stadt Boston, sein Sterbeort, und die Harvard-Universität festlich gedachten. Aus den Einzelstimmen, wie individuell sie auch klingen, synchronisiert sich der Zwiegesang unserer Völker. Duett statt Duell.

Wer Grüße sammelt, bindet einen Strauß. Er fügt Blume zu Blume und mischt die Farben. Das Spiel der Schattierungen zwischen Licht und Gegenlicht, der Schwingungen zwischen nobler Distanz und naher Freundschaft sollen Gedanken zu Gedanken sprechen lassen.

Ein Blumenstrauß ist ein freundliches Gebinde. Niemand wird Disteln oder Nesseln dazwischenstecken, um zu verletzen. So kommen die Grüße über Grenzen auch nicht aus dem Kühlhaus der Kritik, nicht aus dem Rauhreif der Skepsis, auch nicht von der Bank der Spötter. Sie sind ihrer Natur nach freundschaftliche Worte.

Schließlich: Eine Anthologie ist kein Lexikon. Nicht alle Blumen lassen sich für einen einzigen Strauß pflücken. Der ursprüngliche Sinn des Wortes „anthology" war botanisch und poetisch zugleich: „Blumenlese". Viele Blumen, viele Wortblumen und oft sehr schöne bleiben ungepflückt, unbemerkt im dichten Wuchs von Natur und Literatur. Wer diese und jene entdeckt, möge uns an seiner Finderfreude teilhaben lassen.

Kurt Schleucher

sors make it easier for us to learn to understand others, even those who at first seem foreign to us.

The anthology "Greetings Across the Ocean" deals with this many-sided theme. It collects expressions of mutual estimation from many sources, from Franklin and Goethe to Zuckmayer and Thornton Wilder; from travelers in Germany such as Washington Irving, Cooper, Longfellow, and Mark Twain, from German travelers in America since Pastorius and his immigrants from Krefeld, to twentieth-century emigrants such as the architect Walter Gropius, whose hundredth anniversary was celebrated in 1983 bei the town of Boston, where he died, and by Harvard University. However individual they may sound, the voices of our two nations harmonize in a duet – a duet instead of a duel.

Whoever gathers greetings makes a bouquet. He adds flower to flower, mixing the colors. The play of light and shadow corresponds to the oscillation between respectful distance and close friendship. A bouquet is a friendly bond. No one would put thistles or nettles in it in order to hurt. And so also these greetings from across the Ocean come not from the icehouse of criticism, not from the frost of scepticism, nor from the ranks of the mockers. They are by nature friendly words.

Finally: An anthology is not a lexicon. Not all flowers can be chosen for a single bouquet. The original sense of the word "anthology" was at once botanical and poetic: "flower gathering". Many flowers, many word flowers, and often very fine ones remain unpicked, unnoticed in the dense growth of nature and literature. May those who find them share with us the joy of their discovery.

Kurt Schleucher

Index

Henry Adams, Literat, * 1838 Boston, † 1918 Washington
(The Education of Henry Adams)

Jean L. R. Agassiz, Naturwissenschaftler, * 1807 Môtier/Kanton Freiburg, † 1873 Cambridge/Mass.
(Letters)

Ottilie Assing, Korrespondentin für Cotta, † 1884
(Juli-Bericht 1851 in Cottas „Morgenblatt für gebildete Leser")

Erdmann Ball, Essayist, * 1951 Kopfingen

P. Brandl, Literarhistoriker
(Vorlesung an der Universität Göttingen am 4. Juli 1890)

Wernher von Braun, Raketentechniker, * 1912 Wirsitz/Posen,
† 1977 Alexandria/Virginia
(Eric Bergaust: Incredible von Braun)

Heinrich Brüning, deutscher Reichskanzler, später Harvardprofessor, * 1885 Münster/Westfalen, † 1970 Norwich/Vermont
(Briefe 1946–1960)

George Bush, Vizepräsident der USA, * 1924
(Rede am 25. Juni 1983 in Krefeld zur 300Jahrfeier der deutschen
Einwanderung in Amerika)

Witter Bynner, Dichter, * 1881 Brooklyn
(Jessie B. Rittenhouse: The Second Book of Modern Verse)

Robert Campbell, Architekt, * 1937 Buffalo/N.Y.
(The Boston Globe, May 17, 1983)

Karl Carstens, seit 1. Juli 1979 Präsident der Bundesrepublik
Deutschland, * 1914 Bremen
(Geleitwort/Ansprache am 25. Juni 1983 in Krefeld zur 300-
Jahrfeier der deutschen Einwanderung in Amerika)

Lucius D. Clay, Militärgouverneur in Deutschland, * 1897 Ma-
rietta/Georgia, † 1978 Chatham/Mass.
(Decision in Germany)

Joseph Green Cogswell, Gelehrter und Bibliothekar, * 1796
Ipswich/Mass., † 1871 Cambridge/Mass.
(Goethes Briefe)

James B. Conant, US-Botschafter in der Bundesrepublik
Deutschland, * 1893 Dorchester/Mass., † 1978 Hanover/New
Hampshire
(Germany and Freedom)

James Fenimore Cooper, Schriftsteller, * 1789 Burlington/N.J.,
† 1851 Cooperstown/N.Y.
(A Residence in France with An Excursion up The Rhine)

Hans-Jürgen Corduan, Postbeamter, * 1939 Berlin

Rudolf Cronau, Historiker
(Drei Jahrhunderte deutschen Lebens in Amerika)

Ein Dietzenbacher. Brief aus St. Louis vom 27. Dezember 1847
nach Dietzenbach/Hessen
(Martinus Boll: Geschichte, Genese und Funktion zweier deutscher Emigrantensiedlungen mit dem Namen Darmstadt im
Mittleren Westen der USA)

Alfred Döblin, Schriftsteller, * 1878 Stettin, † 1957 Emmendingen/Baden
(Ludwig Marcuse: Mein zwanzigstes Jahrhundert)

Ralph Waldo Emerson, Philosoph und Dichter, * 1803 Boston, † 1882 Concord/Mass.
(Stephen E. Whicher: Selections from Ralph Waldo Emerson/ Johannes Herzog: Ralph Waldo Emerson)

Edward Everett, Präsident der Harvard University, * 1794 Dorchester/Mass., † 1865 Boston
(Briefe an Goethe)

Max Fahrenbach, Publizist, * 1914 Ulzech

John B. Floyd, US-Politiker, * 1806 Montgomery County/Va., † 1863 Abingdon/Va.
(Brief an Alexander v. Humboldt)

Karl Follen, Harvardprofessor, * 1796 Romrod/Hessen, † 1840 vor New York auf dem Dampfer „Lexington"
(German Reader/Practical Grammar of the German Language/ Wolfgang Martin Freitag: Mit der Sonne nach Westen hin)

Benjamin Franklin, Schriftsteller, Naturwissenschaftler und Staatsmann, * 1706 in Boston, † 1790 Philadelphia
(Ralph L. Ketcham: The Political Thought of Benjamin Franklin)

Ferdinand Freiligrath, Dichter, * 1810 Detmold, † 1876 Cannstatt
(Sechs Strophen des Gedichtes „Die Auswanderer" [1832], übersetzt von Ilse Fang, Cambridge/Mass.)

Marianne Gatzke, M. A. (Oberlin College), Journalistin, * 1913 Hindenburg/Oberschlesien

Friedrich Gerstäcker, Schriftsteller, * 1816 Hamburg, † 1872 Braunschweig
(Heimweh und Auswanderung)

Carl Alexander von Gleichen-Russwurm, Kulturhistoriker, Urenkel Schillers, * 1865 Schloß Greifenstein/Unterfranken, † 1947 Baden-Baden
(Emerson)

Johann Wolfgang v. Goethe, Dichter, * 1749 Frankfurt/M., † 1832 Weimar
(Briefe / Eckermanns Gespräche mit Goethe / Kanzler Friedrich v. Müller: Unterhaltungen mit Goethe / Erste Strophe des Gedichts „Den Vereinigten Staaten", übers. v. Stephen Spender)

Rudolf Hagelstange, Schriftsteller, * 1912 Nordhausen/Harz
(Der schielende Löwe oder How do you like America?)

Hans A. Halbey, Direktor des Gutenberg-Museums Mainz, * 1922 St. Wendel/Saar

Manfred Hausmann, Schriftsteller, * 1898 Kassel
(Kleine Liebe zu Amerika)

Friedrich Hebbel, Dichter, * 1813 Wesselburen, † 1863 Wien
(Briefe)

Theodor Heuss, von 1949–1959 erster Präsident der Bundesrepublik Deutschland, * 1884 Brackenheim/Württemberg, † 1963 Stuttgart
(Tagebuchbriefe 1955–1963)

Werner Höfer, Journalist, * 1913 Kaisersesch
(Verwöhnt in alle Ewigkeit?)

Oliver Wendell Holmes Jr., Rechtsgelehrter und Richter am Obersten Gerichtshof, * 1841 Boston, † 1935 Washington
(The Common Law)

Herbert Hoover, 1928–1932 Präsident der USA, 1918/19 Leiter des Kriegsernährungsamtes, *1874 West Branch/Iowa, † 1964 New York
(The Memoirs – Years of Adventure 1874–1920)

Katrine von Hutten, Schriftstellerin, * 1944 Lohr/Main
(New York und Unterfranken)

Carl Heinz Ibe, Redakteur beim NDR-Fernsehen, * 1932
Hamburg

Washington Irving, Schriftsteller, * 1783 New York, † 1859
Tarrytown/N.Y.
(Walter A Reichart: Washington Irving and Germany)

Thomas Jefferson, 3. Präsident der USA, * 1743 Shadwell/Va.,
† 1826 Monticello/Va.
(Bernard Mayo: Jefferson Himself)

George F. Kennan, Diplomat und Schriftsteller, * 1904 Milwau-
kee/Wisconsin
(Memoirs 1925–1950)

John Fitzgerald Kennedy, 1961–1963 Präsident der USA, * 1917
Brookline/Mass., † 1963 Dallas/Texas
(Hildegard Gauger/Hermann Metzger: President Kennedy
Speaks)

Henry Kissinger, US-Politiker, *1923 Fürth/Bayern
(Stephen Graubard: Kissinger)

Manfred Knodt, Pfarrer, * 1920 Schlitz/Oberhessen
(Die Regenten von Hessen-Darmstadt)

Johannes Kopfheim, Publizist, * 1923 Halsungen

Rudolf Kraft, Historiker, * 1907 Bad Nauheim
(Jacob Leisler, der Retter von New York)

Horst Krüger, Schriftsteller, * 1919 Berlin
(New York – Essay der Freiheit)

Franz Lieber, Herausgeber der Encyclopaedia Americana,
* 1800 Berlin, † 1872 New York
(Richard Henry Stoddard: The Life, Travels and Books of Alexander v. Humboldt / Wolfgang Martin Freitag: Mit der Sonne
nach Westen hin)

Sabina Lietzmann, Journalistin, * in Jena
(New York – Die wunderbare Katastrophe)

John Lion, Journalist, * 1947 in Dallas/Texas

Henry Wadsworth Longfellow, Dichter, * 1807 Portland/
Maine, † 1882 in Cambridge/Mass.
(Letter to Mrs. Andrew Norton, Marienberg, 1842 / The Com-
plete Poetical Works of Longfellow, Craigie Edition / Diaries)

John J. McCloy, US-Hochkommissar für Deutschland, * 1895
Philadelphia
(The Challenge to American Foreign Policy)

Thomas Mann, Schriftsteller, * 1875 Lübeck, † 1955 Zürich
(Politische Schriften und Reden)

Ludwig Marcuse (Heinz Raabe), Philosoph und Schriftsteller,
* 1894 Berlin, † 1971 München
(Mein zwanzigstes Jahrhundert)

Peter de Mendelssohn, Schriftsteller, * 1908 München, † 1982
München
(Nachwort zu Benjamin Franklins Autobiographie)

Yehudi Menuhin, Geiger, * 1916 New York
(Rede zur Verleihung des Friedenspreises des Deutschen Buch-
handels 1979)

Alois Mertes, Staatsminister im Auswärtigen Amt, * 1921 Ge-
rolstein
(Rede in der Evangelischen Akademie Loccum, 14. Februar
1981)

Paul Mewes, Segelschiffmatrose, * 1844 Potsdam, † 1865 auf
dem Atlantik an Bord des Bremer Seglers „Herrmann“
(Grüßt alle, nächstens mehr! Briefe und Zeichnungen. Hrsg. von
Ingrid Schmidt)

Franz Daniel Pastorius, Gründer von Germantown, * 1651
Sommerhausen/Franken, † 1719 Germantown

(Salve Posteritas! Posteritas Germanopolitana! / Der Protest der Deutschen von Germantown gegen die Sklaverei)

Andrew P. Peabody, 1826 Harvard-Student
(Reminiscences)

Thomas von Randow, Journalist, * 1923 Breslau
(Zurück zu den Yankee-Tugenden)

Ronald Reagan, seit 1980 Präsident der USA,
* 1911 Tampico/Ill.
(Rede am 9. Juni 1982 vor dem Deutschen Bundestag)

Walter A. Reichart, Literarhistoriker
(Washington Irving and Germany)

Ursula Richter, Amerikanistin, * 1939 Krefeld

Theodore Roosevelt, 1901–1909 Präsident der USA, * 1858 New York, † 1919 Sagamore Hill/N.Y.
(Autobiography)

Erwin Rosen (E. Carlé), Schriftsteller, * 1876 Karlsruhe, † 1923 Hamburg
(Der deutsche Lausbub in Amerika)

George Santayana, Philosoph, * 1863 Madrid, 1889–1912 Harvard University, † 1952 Rom
(The Middle Span)

Georg Sartorius v. Waltershausen, Historiker, * 1765 Kassel, † 1828 Göttingen
(Briefe an Goethe)

Shepard Stone, Leiter des Aspen-Instituts für Humanistische Studien Berlin, * 1908 Nashua/New Hampshire
(Die Zeit, Interview am 1. April 1983)

Hermann Simon, Philologe
(Deutsche Ausgabe der Werke von Henry Wadsworth Longfellow)

261

Upton Sinclair, Schriftsteller, * 1878 Baltimore, † 1968 Bound Brook/N.Y.
(Oration, Los Angeles 1941)

Jürnjakob Swehn
(Johannes Gillhoff: Jürnjakob Swehn der Amerikafahrer – Aus den Briefen eines mecklenburgischen Auswanderers)

Hans Schiebelhuth, Schriftsteller, * 1895 Darmstadt, † 1944 Easthampton/N.Y.
(Werner Wegmann: Hans Schiebelhuth – Liebender vor der Welt und dem Wort)

Kurt Schleucher, * 1914 Darmstadt

Amalia Schoppe, Schriftstellerin, * 1791 Burg auf der Insel Fehmarn, † 1858 Schenectady/N.Y.
(Kurt Schleucher: Das Leben der Amalia Schoppe und Johanna Schopenhauer)

Carl Schurz, US-Innenminister, * 1829 Liblar/Köln, † 1906 New York
(Wayne Andrews: The Autobiography of Carl Schurz, Lincoln's Champion and Friend / Rudolf Kraft: Carl Schurz – Die alte Sache der Freiheit)

Friedrich Wilhelm von Steuben, deutsch-amerikanischer General, * 1730 Magdeburg, † 1794 Oneida County/N.Y.
(Horst Überhorst: Friedrich Wilhelm von Steuben)

Irmgard Taylor, Germanistin, * 1931 Darmstadt, seit 1970 State University College at Cortland/N.Y.

George Ticknor, Literaturwissenschaftler, * 1791 Boston, † 1871 Boston
(Letters)

Helmut Thielicke, Theologe, * 1908 Barmen
(Gespräche über Himmel und Erde)

Mark Twain (Samuel Langhorne Clemens), Schriftsteller, * 1835 Florida/Missouri, † 1910 Redding/Conn.
(A Tramp Abroad)

Horst Überhorst, Historiker und Sportwissenschaftler, * 1925 Bochum
(The German Element in the US Labor Movement)

P. Weiland, Historiker
(Vorlesung an der Universität Göttingen am 4. Juli 1890)

Thornton Wilder, Schriftsteller, * 1897 in Madison/Wisconsin, † 1975 Hamden/Conn.
(Goethe and World Literature)

Frank Lloyd Wright, Architekt, * 1869 Richland Center/Wisconsin, † 1959 Phoenix/Arizona
(A Testament)

Thomas Wolfe, Schriftsteller, * 1900 Ashville/North Carolina, † 1938 Baltimore
(You Can't Go Home Again / The Letters of Thomas Wolfe, edited by Elizabeth Nowell)

Carl Zuckmayer, Schriftsteller, * 1896 Nackenheim/Rhein, † 1977 Visp/Wallis
(Als wär's ein Stück von mir)

Originalbeitrag, wenn kein Quellenvermerk
Original, if no reference is given

Die Martin-Behaim-Gesellschaft Darmstadt
veröffentlicht die Anthologie
„Grüße über Grenzen"
als einen Beitrag
zum kulturellen Austausch
unter den Völkern.

The Martin-Behaim-Gesellschaft Darmstadt
publishes this anthology
"Greetings across the Ocean"
as a contribution
to the cultural exchange
among peoples.